HUERTA ORGÁNICA EN MACETAS

Guía esencial para el cultivo de hortalizas y hierbas aromáticas en balcones, terrazas o patios.

María Gabriela Escrivá

ALBATROS
Jardinería Práctica

Edición
Cecilia Repetti

Asistente de edición
Guadalupe Rodríguez

Dirección de arte
María Laura Martínez

**Diseño, diagramación
e ilustraciones**
Andrés N. Rodríguez

Fotografías
Verónica Urien

HUERTA ORGÁNICA EN MACETAS

1ra. edición – 5000 ejemplares
Impreso en **Gráfica Pinter S.A**
México 1352, Buenos Aires, Argentina
Marzo 2010

ISBN: 978-950-24-1272-6

© Copyright 2010 by **Editorial Albatros SACI**
Torres Las Plazas Jerónimo Salguero 2745
5to piso oficina 51 (1425)
C. A. de Buenos Aires, República Argentina
IMPRESO EN LA ARGENTINA
PRINTED IN ARGENTINA
www.albatros.com.ar
e-mail: info@albatros.com.ar

Agradecimientos

al Arq. Darío Barillaro,
a Aromáticas Adriana,
al Vivero "El Maitén",
al Vivero "Sonyando",
a Lynn Aldridge y flia. Vial (Chile),
a Pablo Paoliello.

Escriva, Gabriela
    Huerta orgánica en macetas -1a ed. - Buenos Aires : Albatros, 2010.
    112 p. il.:; 17x24 cm. - (Jardinería práctica)

    ISBN 978-950-24-1272-6

    1. Horticultura. I. Título
    CDD 635

A la memoria de mi madre.

Unas palabras

La estresante vida urbana nos aleja paulatinamente de tareas tan enriquecedoras y saludables como el cuidado de las plantas y la provisión de nuestros propios alimentos.

En la cultura occidental, cuando comenzó a haber cierta abundancia de alimentos, la autoproducción de hortalizas pasó a ser un signo de pobreza; y a diferencia de otros tiempos, cada espacio urbano se cultivó con fines puramente ornamentales.

Afortunadamente, este concepto se ha ido modificando y hoy sabemos que, haciendo algunos pequeños cambios en balcones, patios o terrazas, podremos producir de manera saludable hortalizas que enriquecerán nuestra dieta y nuestra vida.

Cuidar una huerta en la ciudad a lo largo de todo el año nos permite apreciar el impacto del cambio estacional y los ritmos de la naturaleza. En un medio donde se crean ambientes artificiales a través de la climatización o las construcciones y donde a veces es casi imposible ver el cielo, acompañar y observar el crecimiento vegetal nos conecta con lo natural.

Cosechar las verduras en su punto exacto de maduración es un lujo al que el habitante de las ciudades pocas veces accede. Jugosos tomates madurados al sol, hojas de albahaca recién cortadas y crujientes lechugas son placeres posibles en medio de la urbe.

Con pocas pautas técnicas, nuestro gusto personal y un poco de creatividad, podremos tener nuestro propio paraíso en medio de la ciudad.

María Gabriela Escrivá

CAPÍTULO
1

La huerta
en la ciudad

Capítulo 1

La huerta en la ciudad

Históricamente, las huertas urbanas tuvieron el fin de completar una dieta deficitaria, pero actualmente, cultivar en las ciudades es un modo de acercarnos a los ritmos de la naturaleza además de permitirnos disfrutar de hortalizas en su punto óptimo de maduración.

Diseñando armoniosamente espacios con hortalizas es posible cultivarlas hasta en sectores anteriormente vedados como en esta plaza parisina.

Desde sus orígenes, las ciudades fueron concebidas como un centro social donde los habitantes pudieran satisfacer sus necesidades. La esencia de una ciudad era el contacto, la regulación, el intercambio y la comunicación. Para facilitar estas relaciones interpersonales se crearon calles, plazas, jardines públicos, mercados y ferias. Paulatinamente, estos espacios se fueron convirtiendo en lugares de reunión y en centros de la vida social de la población.

La ciudad funcionaba como un organismo vivo y no era sólo un gran contenedor de viviendas y personas. Allí nacían la cultura, las relaciones sociales y las económicas.

A partir de la Revolución industrial, las ciudades sufrieron un cambio profundo a raíz del aumento poblacional. Este número mayor de habitantes implicaba una mayor necesidad de alimentos. De esta forma, las ciudades comenzaron a apropiarse de recursos generados en lugares más distantes. El exceso de estos recursos generó consecuentemente gran cantidad de desechos, los residuos del metabolismo de este organismo vivo. En la actualidad, un problema serio y de difícil solución en las grandes ciudades.

En esos años, las huertas urbanas comenzaron a ser esenciales para garantizar la seguridad alimentaria de los numerosos obreros y sus familias que emigraron del campo a la ciudad en busca de empleo en las nuevas fábricas.

En el período comprendido entre las guerras mundiales, la dura situación socioeconómica se vio reflejada también en el deterioro de la calidad nutricional de las personas.

Muchas ciudades quedaron aisladas de sus campos circundantes, y los productos agrícolas de sus alrededores rurales no llegaban a los mercados urbanos o bien eran vendidos a precios abusivos en el mercado negro. En consecuencia, la producción de alimentos dentro de la ciudad en huertas familiares se volvió esencial para la supervivencia.

Los espacios verdes no sólo embellecen el contexto sino que además mejoran la calidad del aire, amortiguan los ruidos y provocan un ahorro en el consumo energético general.

Durante la Segunda Guerra Mundial, millones de norteamericanos y canadienses fueron animados a cultivar sus propios alimentos en los llamados Victory Gardens, ya que la producción agrícola se enviaba a Europa para alimentar a las tropas aliadas. "Cultive una Huerta de la Victoria: ayude a ganar la guerra" o "Huertas de la guerra para la victoria, produzca vitaminas en la puerta de su cocina" eran algunas de las consignas de difusión de este programa que llegó a transformar jardines, balcones, baldíos y terrazas en más de 20 millones de huertas urbanas.

Afiches de los Jardines de la Victoria difundidos durante la Segunda Guerra Mundial.

En 1989, en Cuba, luego del colapso del bloque soviético y del bloqueo por parte de Estados Unidos, la producción urbana de hortalizas contribuyó a paliar en parte la crisis alimentaria. En 1995 ya se estimaban en 26.600 las parcelas destinadas a huertas populares. Actualmente, La Habana presenta los mayores índices de huertas urbanas a nivel mundial, entre huertas privadas, populares y organopónicas.

Huerta organopónica en Santiago de Cuba (Cuba).

Introducir la naturaleza en la ciudad

Con la incorporación de especies vegetales adaptadas mediante un tratamiento técnico constructivo adecuado es posible ganar superficies verdes dentro de la ciudad.

Jardines verticales, techos verdes, bulevares, huertas, jardines y plazas que conformen finalmente corredores biológicos urbanos, contribuirán a volver la ciudad más ecológica. Estos espacios verdes no sólo embellecen el contexto urbano, sino que además captan dióxido de carbono, liberan oxígeno, amortiguan el ruido y provocan un ahorro en el consumo energético general, entre otros beneficios. Las investigaciones realizadas en psi-cología ambiental sobre los paisajes revelan que estos inciden poderosamente en la psicología de los ciudadanos, llegando a dificultar o a potenciar los aspectos más positivos de su desarrollo personal.

La promoción de la salud en una ciudad se puede abordar desde dos posiciones: la colectiva para crear un medio más adecuado para el desarrollo humano, y la individual para adoptar actitudes de vida más saludables.

Los espacios verdes inciden de manera muy positiva en la psicología de los habitantes de una ciudad.

Desde nuestro balcón, terraza o patio podemos aportar nuestro granito de arena cultivando vegetales de manera saludable. Las experiencias de huertas urbanas comunitarias las encontramos en casi todas las ciudades del mundo a diferentes escalas. La producción de cierta cantidad de alimentos dentro de la ciudad tiene múltiples funciones:

- Mejora la seguridad y la calidad alimentaria de los participantes de la actividad.

- Potencia las relaciones sociales y abre nuevas vías de comunicación e interacción entre los ciudadanos.

- Fomenta una educación agroambiental que sirve de base para una conciencia ambiental futura. En una huerta se recicla la materia orgánica y multitud de elementos de diferentes materiales que con un sólo uso incrementarían los residuos urbanos. Cultivar una huerta implica involucrarse en los ritmos de la naturaleza, como los tiempos biológicos de espera o la influencia de los cambios climáticos en los cultivos.

- Permite la integración de personas de la tercera edad, donde su experiencia es valorada.

Las variedades de tomates de crecimiento determinado son ideales para el cultivo en contenedores.

Las frutillas son algunas de las variedades que pueden cultivarse perfectamente en macetas.

Cultivando plantas ornamentales y hortícolas en la ciudad contribuimos a volver más ecológico un medio hostil.

Higuera miniatura. Esta variedad produce higos aún cultivándola en volúmenes restringidos.

Hay muchos motivos que pueden volvernos horticultores urbanos:

- Mantener una huerta urbana puede ser una actividad entretenida, sencilla y agradable que nos acerca el mundo natural a pequeña escala y sin salir de casa. Trabajar y mantener día a día una huerta representa una forma fantástica de romper con las presiones del ritmo de vida actual. Esta actividad nos reportará una sensación de bienestar que va más allá de tener nuestras propias cosechas.

- El contacto permanente con la naturaleza en un medio urbano nos permitirá profundizar el conocimiento de los procesos naturales como son las variaciones estacionales, la influencia de la temperatura en el desarrollo vegetal, la llegada de insectos benéficos o el efecto del viento sobre las plantas.

- La utilización de compost casero como fuente de nutrientes contribuye a acercarnos a procesos que rigen el mundo natural y a disminuir la cantidad de materia orgánica que de otro modo incrementaría los volúmenes de la basura urbana.

- Una cosecha sabrosa, variada y en el punto exacto de maduración será la mejor recompensa a la atención y a los cuidados que le brindamos a nuestra huerta urbana.

Cuidar una huerta en la ciudad es una actividad sencilla y agradable que nos acerca a pequeña escala al mundo natural.

Las macetas artesanales aportan características personales a cada diseño.

CAPÍTULO
2

El diseño

2 El diseño

El diseño es la base de una huerta urbana fructífera. Es un momento de toma de decisiones sobre la base de la observación del espacio disponible para el cultivo en una vivienda y de las características del medio circundante. El resultado de esta observación será la decisión de dónde ubicar las macetas o los contenedores.

Diseñar una huerta en la ciudad no es lo mismo que diseñarla "a campo". Las condiciones en general son más limitadas y extremas.

Si cultivamos en un balcón, no tenemos opción de orientación o bien las ráfagas de viento pueden ser muy violentas.

En una terraza tendremos la posibilidad de orientar correctamente los contenedores, pero en verano deberemos proteger las plantas de las condiciones extremas de calor que se generan en estos espacios. Los patios tienen la ventaja de que, al estar sobre el suelo, no tendremos que considerar el peso de los contenedores, pero muchas veces son lugares muy sombríos.

Este libro intenta ofrecer las opciones para solucionar estas limitaciones y disfrutar de la cosecha de hortalizas frescas y saludables.

Aprovechamiento del espacio y protección con tejidos de media sombra en una terraza para optimizar el bienestar de las plantas y los habitantes del inmueble.

La elección del lugar

Según las características de cada vivienda, en una ciudad podremos cultivar en un balcón, un patio, una terraza o el alféizar de una ventana.

Jardines al frente o detrás de la vivienda presentan características diferentes, ya que permiten cultivar directamente en la tierra, siendo en consecuencia su manejo del suelo como el de un cantero tradicional de huerta orgánica. Una primera mirada al espacio elegido nos permitirá ir analizando las condiciones que lo caracterizan.

Orientación

Las verduras son en general plantas exigentes en horas de sol. Cuanto más avanzado sea el momento de cosecha en el ciclo de vida de una planta, mayor será su requerimiento en horas de sol. Por lo tanto, las plantas que cosecharemos en el estadio de roseta, o sea cuando sólo tienen hojas (lechuga, radicheta o rúcula), necesitarán menos horas de sol que las que cosecharemos en estadio de fruto (tomate, berenjena o ají). Seleccionaremos las zonas en nuestro espacio con más o menos incidencia de sol para situar las plantas según sus requerimientos.

Ajiés, tomates y berenjenas requerirán alrededor de 6 horas de sol.

Las plantas de hojas tendrán suficiente con 3 horas de exposición solar.

Número de horas de sol requeridas	Plantas de las que se cosechan frutos: *alrededor de 6 horas.*
	Plantas de las que se cosechan hojas o raíces: *alrededor de 3 horas.*

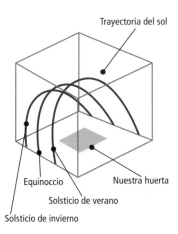

Trayectoria del sol

Equinoccio

Solsticio de verano

Solsticio de invierno

Nuestra huerta

A nuestra latitud, el recorrido del sol cambia sensiblemente del verano al invierno. Estudiar cuidadosamente la evolución de las sombras nos permitirá tomar decisiones importantes, como la de podar determinado árbol o decidir qué plantas se darán mejor y en qué lugares.

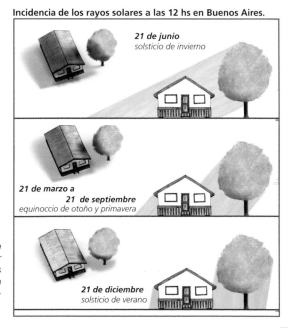

Incidencia de los rayos solares a las 12 hs en Buenos Aires.

21 de junio
solsticio de invierno

21 de marzo a
21 de septiembre
equinoccio de otoño y primavera

21 de diciembre
solsticio de verano

Ajíes o chiles. Se pueden cultivar en macetas medianas pero requieren alrededor de 6 horas de sol.

Berenjenas. Su gran sistema radicular exige grandes contenedores y exposición al sol para una buena producción.

Acelgas. 3 horas de sol y macetas profundas son las únicas demandas para su cultivo.

Lechugas. En verano es conveniente proveerles protección del sol para evitar que pierdan calidad gourmet.

Con este dato ya podemos decidir dónde ubicar los contenedores. Las plantas de las que cosecharemos sus frutos, en general, tienen necesidades de contenedores o macetas de mayor tamaño, ya que poseen sistemas radiculares más voluminosos. La distribución de las horas de sol y sombra a lo largo del día y del año es un parámetro muy importante en la producción de hortalizas. La cantidad de sol inadecuada se refleja en la salud de las plantas. Plantas estresadas por condiciones extremas serán en un futuro plantas enfermas. El manejo orgánico de las plagas y las enfermedades se basa en la prevención. Ubicar correctamente cada planta garantizará un desarrollo saludable. Procesos como la activación del crecimiento o la senescencia prematura son algunas de sus respuestas a estos estímulos. La orientación de un balcón será determinante en la elección de los cultivos. Un balcón orientado al Sur, en el hemisferio sur, prácticamente no recibirá sol durante el invierno. Un fenómeno similar ocurre en los patios donde las sombras proyectadas por las paredes impiden la llegada de la luz solar en sectores determinados. Una solución en este caso es colocar debajo de los contenedores más pesados y con más necesidad de sol un sistema de ruedas para desplazarlos sin inconvenientes y ubicarlos en los lugares más aptos.

Impermeabilizaciones

El espacio destinado al cultivo de plantas hortícolas u ornamentales debe estar totalmente impermeabilizado para evitar las filtraciones de agua. Estas no sólo acarrean problemas internos sino que también pueden generar conflictos con los vecinos.

El mercado ofrece diferentes opciones para lograr impermeabilizaciones transitables seguras:

- ***Membranas transitables preformadas:*** son actualmente las más utilizadas. Se comercializan en rollos y se aplican en frío o con soplete. Pueden ser: asfálticas (con terminación geotextil o mineralizada); o de PVC.

- ***Membranas*** **in situ:** son capas entrelazadas de asfalto y otros materiales aislantes.

- ***Impermeabilizantes con fibras incorporadas:*** se comercializan en latas o baldes plásticos y se aplican como una pintura con rodillo o pincel.

- ***Pinturas asfálticas.***

Es importante observar con frecuencia el estado de las impermeabilizaciones, ya que las raíces de muchas malezas logran romper estas capas aislantes, siendo la puerta de entrada de una futura filtración.

Las membranas preformadas evitan las filtraciones.

Cualquier fisura en una membrana puede ser aprovechada por una maleza para desarrollarse.

Sobrecarga

La tierra y los sustratos son elementos pesados y más aún cuando están húmedos. Por esta razón, es muy importante conocer la resistencia de cada balcón.

En los balcones, reservaremos los espacios más cercanos a la pared para los contenedores más pesados, ya que es la zona de mayor resistencia, y ubicaremos en los bordes las macetas más livianas.

En las terrazas, es importante aprovechar los bordes o las cargas para apoyar los contenedores más pesados, pues ahí también hay más resistencia.

El peso es una de las razones por la cual se recurre al uso de sustratos en el armado de una huerta en contenedores.

Una solución para instalar grandes contenedores en una terraza es apoyar perfiles doble T en los bordes y sobre estos montar los contenedores. De esta forma no sólo logramos distribuir el peso en la zona más resistente sino que también, al estar separado del piso, evitamos el contacto permanente de la humedad con el suelo de la terraza.

Un beneficio secundario de esta instalación es que se logra una altura óptima de trabajo.

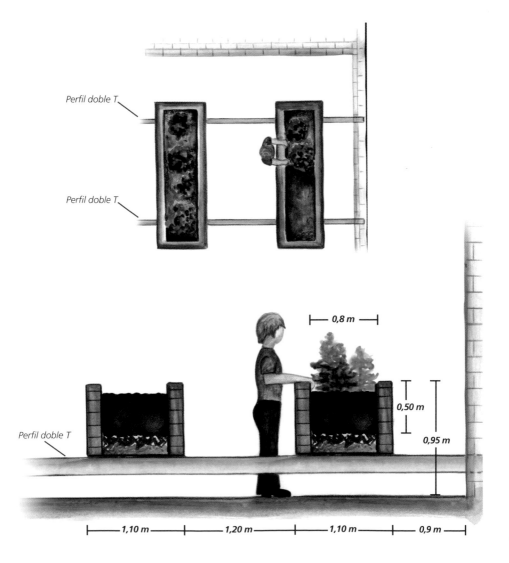

Perfil doble T

Perfil doble T

0,8 m

0,50 m

0,95 m

Perfil doble T

1,10 m   1,20 m   1,10 m   0,9 m

Diseño en una terraza con perfiles doble T para distribuir el peso en las zonas más resistentes.

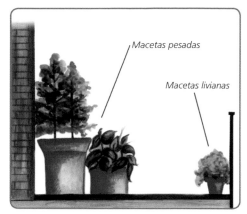

En los balcones, los contenedores más pesados deben ubicarse junto a la pared ya que es la zona de más resistencia.

El peso admisible en terrazas es de 200 kg/m²

El peso de la tierra negra es de 1800 kg/m³

Estos aros permiten aumentar los espacios de cultivo.

Condiciones meteorológicas

El viento: puede ser determinante en el éxito, pero la mayoría de las veces estos espacios están protegidos o pueden protegerse. Las ráfagas podrían tirar contenedores más pequeños, quebrar o doblar las plantas permitiendo el ingreso de patógenos o simplemente estresar a las plantas. Cuando determinamos las zonas de mayor incidencia de vientos, pondremos algún tipo de estructura con cierta permeabilidad que disminuya la velocidad, pero que permita la circulación atenuada del viento. Las barreras densas como las paredes generan remolinos en la zona cercana.

La humedad relativa ambiental: incide en el consumo de agua y en la transpiración vegetal.

La temperatura: su incidencia se refleja principalmente en el ritmo de crecimiento de la planta, la transpiración y la posibilidad de helarse.

Protección de junco permeable a los vientos.

Las plantas ornamentales con follaje resistente a los vientos protegerán las plantas hortícolas.

Cerco para vientos

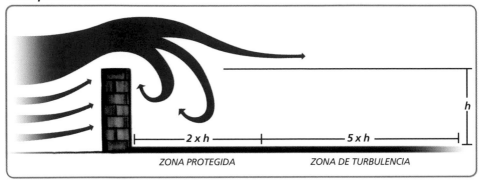

ZONA PROTEGIDA   ZONA DE TURBULENCIA

Los cercos compactos crean una zona de turbulencia a los pocos metros.

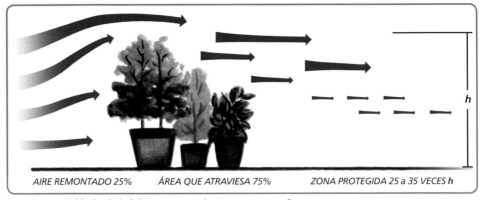

AIRE REMONTADO 25%   ÁREA QUE ATRAVIESA 75%   ZONA PROTEGIDA 25 a 35 VECES h

Un cerco permeable desviará el viento y protegerá una zona muy amplia.

¿Cómo proteger nuestro paraíso urbano?

Es posible crear una protección vegetal periférica no sólo con un fin físico sino también con un interés biológico. Una vez determinadas las zonas que reciben las ráfagas de viento, ubicaremos estratégicamente plantas ornamentales que soporten estos embates. *Ligustrinas, Cotoneaster, Pittosporum, Oleas,* gramíneas ornamentales, *Callistemon* o lavandas son algunas de ellas. El follaje de estas plantas reduce la velocidad del viento entre un 30 y 50%, contribuyendo de esta forma a la creación de un microclima en el sector donde se desarrollan las plantas.

El efecto protector de un cerco, al menguar la velocidad del viento, provoca una reducción en la pérdida de agua por transpiración de las plantas y por evaporación. También se reducen los daños por flexión en las plantas causados por la fuerza del viento, siendo estos una puerta de ingreso a patógenos causantes de enfermedades. También crea una barrera de sonido y detiene la deriva de tóxicos y contaminantes de las cercanías, que se depositarán en el follaje de estos ejemplares más resistentes. En una ciudad, estas plantas conforman un telón de fondo que aísla visualmente cada espacio.

Las plantas del cerco vivo no sólo detienen la velocidad del viento sino que con sus profusas floraciones también proporcionan refugio y alimento a los predadores que controlarán las plagas dañinas de las plantas cultivadas.

Cuando no hay espacio para cultivar estas plantas, y es necesario detener un poco el viento o crear sectores más sombreados, podemos recurrir a materiales diseñados para tal fin. La malla de media sombra es muy resistente, económica y de fácil colocación. Puede durar hasta 5 años. Los cercos de juncos también son muy adecuados, pero su duración es menor. Cañas, varas, trillages, todos estos materiales son válidos a la hora de proteger y de dar contención a un sector verde y vital.

Las flores ornamentales como este Conejito (Antirrhinum majus) *atraerán polinizadores.*

Las plantas del cerco vivo disminuyen la velocidad del viento, conforman un telón de fondo que aísla cada espacio y proporcionan refugio y alimento a los insectos benéficos.

El Alisum (Lobularia marítima) *es una de las plantas ornamentales preferidas por los insectos benéficos. Podemos cultivarla en compañía de las hortalizas.*

La permeabilidad al paso de agua y de aire de las protecciones sintéticas es clave para el bienestar vegetal. Menos estrés, más salud.

Las floraciones de los arbustos ornamentales proporcionan alimento a insectos predatores.

El extremo de un escalón permite ubicar pequeñas macetas con aromáticas.

Abelia (Abelia grandiflora). Dependiendo del espacio que dispongamos, podremos elegir para el cerco vivo variedades compactas o de mayor desarrollo de esta planta de profusa floración y excelente sanidad.

El diseño

El diseño de una huerta en contenedores se basa en adaptar espacios dentro de la misma vivienda para combinar el cultivo de hortalizas, hierbas aromáticas, pequeños frutales y plantas ornamentales.

En ese contexto, tendremos que descubrir las posibilidades de incorporar elementos propios del medio rural a un espacio reducido como son los balcones, las terrazas o los patios.

Como el espacio en una ciudad es frecuentemente limitante, el diseño debe permitir aprovechar al máximo estos espacios reducidos.

Otros factores a tener en cuenta:

- Número de personas que se proveerán

- Gustos personales

- Presupuesto

- Tiempo disponible para el cuidado de los vegetales

Floración de Dolichos (Dolichos sp): ornamental y productora de chauchas moradas comestibles. Requiere de estructuras verticales para su desarrollo. En contenedores vive sólo un ciclo.

La imaginación y la creatividad tendrán el máximo desafío en esta etapa. Seleccionados los sectores donde ubicaremos los contenedores, empezaremos a evaluar cuidadosamente la orientación, las condiciones meteorológicas y los pesos admitidos para cada lugar.

Para facilitar esta etapa, es aconsejable recurrir a elementos que se consigan fácilmente en el mercado o que podamos fabricar nosotros mismos. Reciclar también puede ser la clave. Los contenedores los ubicaremos de tal forma que los de mayor tamaño queden por detrás de los más bajos para que las plantas más altas no provoquen sombra sobre las más bajas.

Instalar en las paredes estantes resistentes a la intemperie es una forma de duplicar el espacio, aprovechando de esta manera el espacio vertical. Sobre ellos podremos colocar macetas livianas de 0,30 m de profundidad y cultivar plantas pequeñas (lechugas, espinacas, ciboulette, radicheta, rúcula y muchas aromáticas). Otra forma de aprovechar la energía solar que llega a una pared es cultivando especies trepadoras. Para ello debemos armar algún tipo de soporte donde puedan sostenerse: alambres, malla metálica

o entramados de madera son algunas opciones. Arvejas, esponjas vegetales, chauchas o pepinos podremos cultivarlos sin inconvenientes en estas condiciones. Estas estructuras mantienen las plantas erguidas y además impiden que se caigan por acción del viento. Colocando ménsulas en las paredes es posible colgar macetas en forma de cestas.

Para aprovechar el agua de lluvia, podemos por medio de una canaleta conducir el agua a una pequeña cisterna cerrada que impida la proliferación de larvas de mosquitos.

El reciclado de la materia orgánica podremos realizarlo en un lugar sombreado no apto para el cultivo.

En una terraza, el exceso de sol en verano puede dificultar el desarrollo de las hortalizas de hoja. Esto se soluciona con la instalación de malla de media sombra. Esta mantendrá las plantas frescas, reduciendo la frecuencia de riegos y el estrés causado por el exceso de sol que vuelve las hojas más duras y amarillentas. La cocina también será una zona de producción, ya que es el lugar ideal para las siembras y para la germinación de los brotes que aumentarán nuestra cosecha sin el recurso del suelo.

La Esponja vegetal (Luffa cylindrica) se sostiene mediante zarcillos. Es anual y amante del sol.

Chaucha (Phaseolus vulgaris) requiere contenedor voluminoso y una estructura vertical de soporte.

Fruto de Dolichos.   *Cosecha de Kumquats* (Fortunella sp.).

Cultivar en una terraza compartida

Si la terraza tiene un uso comunitario puede tener algunas ventajas:

- Se reducen las herramientas de trabajo que pueden dejarse en un lugar de libre acceso a todos los colaboradores de la huerta.

- Se potencian las relaciones entre vecinos: la práctica de la horticultura favorece los encuentros y mejora las relaciones entre estos.

- Se recicla conjuntamente la materia orgánica y se utiliza para el cultivo comunitario.

- Se dividen las tareas y se comparten cuidados, como por ejemplo los frecuentes riegos en verano.

Tomates y cebollas en una terraza.

CAPÍTULO
3

Los sustratos

Capítulo
3 Los sustratos

Una mezcla de sustratos será el "suelo" de nuestra huerta en maceta; de esta mezcla dependerá en gran parte el éxito de los cultivos.

Todos sabemos que las plantas se desarrollan parte en el aire y parte en el suelo, ambas partes son dependientes y complementarias entre sí. La salud y el bienestar de la parte aérea son tan importantes como la salud y el bienestar de la raíz.

La raíz toma del sustrato agua, nutrientes y oxígeno, las hojas captan dióxido de carbono y energía. El inicio de la formación de muchos aminoácidos y otras sustancias vegetales comienza en la raíz, pero la formación final de proteínas se realiza en las hojas.

Estos conocimientos básicos son fundamentales para el correcto manejo de una huerta en macetas. Si vivimos en una ciudad y nuestra huerta la diseñamos en un jardín o en otro terreno, estaremos cultivando en un suelo. Pero cuando recurrimos a contenedores, maceteros o jardineras para el cultivo de las hortalizas, estaremos trabajando con sustratos. Estos estarán compuestos por diferentes mezclas que optimizarán el crecimiento vegetal en condiciones especiales como son las urbanas. Un sustrato consiste en un sistema formado por tres fases: sólida, líquida y gaseosa. En ese ambiente, se desarrollarán las raíces y por lo tanto, es importante el volumen del contenedor. Se considera que un buen sustrato debe tener aproximadamente 85% de porosidad total. Un suelo en general no supera el 50% de poros. El manejo de las plantas en un contenedor es mucho más intensivo que el de las plantas en un suelo, ya que la gran superficie de estos, en relación con su volumen, les confiere poca plasticidad ante variaciones ambientales, estando las raíces expuestas a fluctuaciones de disponibilidad de agua o de variaciones de temperatura, entre otros factores. El balance de macro y microporos en la mezcla es fundamental, ya que los primeros son responsables de retener el agua, y los segundos, de la circulación de los gases, principalmente del oxígeno, un gas vital para la vida radicular.

Propiedades de los sustratos artificiales

El sustrato con el que llenaremos los contenedores será una mezcla de distintos componentes. Cada uno aportará sus características que, sumadas, darán un sustrato óptimo para el cultivo.

Propiedades físicas

Un sustrato para maceta debería contar con gránulos considerablemente más gruesos que los de la tierra de un suelo. Esto facilita la aireación, pero también limita la retención de agua.

Al hacer una mezcla con sustancias orgánicas y minerales, hay que lograr el equilibrio entre la retención de agua y la aireación.

Muchos sustratos artificiales como la turba, la resaca o el compost son orgánicos. La materia orgánica tiene propiedades tales como baja densidad, elevada porosidad, gran capacidad de intercambio iónico y alta capacidad de retención de agua.

Una parte del sustrato suele estar formada también por sustancias minerales naturales o artificiales como la arena, la perlita o la vermiculita. Estos productos minerales tienen una elevada densidad real, una densidad aparente muy baja y son muy porosos.

La densidad real de un sustrato se refiere a la densidad del material sólido que lo compone y la densidad aparente es la calculada considerando el espacio total ocupado por el material sólido más el espacio poroso.

Se entiende por "intercambio iónico" a la capacidad de intercambiar iones o nutrientes que poseen algunos coloides del sustrato.

Propiedades químicas

El sustrato ideal debe proveer nutrientes asimilables por la planta. Estos son los macro, micro y oligoelementos.

El pH, índice de acidez, es determinante en un sustrato. Según su pH, estarán disponibles en mayor o menor medida los nutrientes. Por ejemplo, con un pH bajo, menor a 7, están poco disponibles los iones de calcio, azufre y potasio; mientras que con un pH alto, son poco asimilables los iones de fósforo, hierro, manganeso o cinc.

Valores del pH

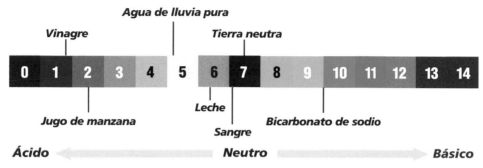

Agua de lluvia pura

Vinagre

Tierra neutra

| 0 | 1 | 2 | 3 | 4 | 5 | 6 | 7 | 8 | 9 | 10 | 11 | 12 | 13 | 14 |

Jugo de manzana

Leche

Sangre

Bicarbonato de sodio

Ácido ⬅ **Neutro** ➡ **Básico**

La escala del pH es logarítmica, por lo tanto 6, el valor inferior de la gama que prefieren la mayoría de las plantas hortícolas, es diez veces más ácido que el valor superior de 7.

Sustrato	pH	Sustrato	pH
Turba rubia	4.5	Vermiculita	7.5
Estiércol compostado	6.5	Perlita	6.9
Chips de corteza de pino	5.1	Arena	6 - 8

El humus de lombriz aportará los nutrientes necesarios para lograr una mezcla de sustratos equilibrada.

Un buen sustrato debe:

- **Permitir la aireación de las raíces.**
- **Evitar el apelmazamiento.**
- **Retener los nutrientes para que estén disponibles para la planta.**
- **Retener el agua sin perjudicar la aireación de las raíces.**
- **Si se seca, volver a mojarse con facilidad.**

No siempre los sustratos armados artificialmente están en condiciones de aportar los nutrientes necesarios. Por lo tanto, en el momento de su preparación, recurriremos al uso de algún material orgánico compostado como el humus de lombriz o el compost para lograr un sustrato completo.

Características de algunos sustratos

El mercado ofrece diferentes sustratos naturales y sintéticos. A continuación se detalla las características específicas de los más utilizados.

Las turbas

Son el producto de la fermentación incompleta de restos vegetales por acción del agua en condiciones anaeróbicas y frías a través de miles de años.

Comercialmente, existen dos tipos: turba de Carex, formada por gramíneas y líquenes; y la turba de musgo Sphagnum o turba rubia.

Debido a su origen, las turbas están libres de sustancias contaminantes, favorecen la retención de agua y nutrientes, son muy livianas y poseen un pH ácido (entre 4 y 5).

Forman parte de la mezcla de sustratos para cultivar en macetas, de la mezcla para la siembra y son excelentes para el enraizamiento de esquejes. Las más utilizadas para macetas o contenedores son las turbas rubias, pues poseen una excelente porosidad y son buenas receptoras de soluciones nutritivas. Proporcionan gran aireación a las raíces, son muy livianas y están libres de patógenos y semillas de malezas. Después de su humedecimiento, pueden ser utilizadas inmediatamente. La presentación de este tipo de material no siempre es la misma, esto depende del proveedor; existen algunas que ya vienen desmenuzadas y humedecidas, lo cual es muy conveniente a la hora de trabajarlas en la mezcla de un sustrato. Pero si nos encontramos con un embalaje que contiene turba apelmazada y seca, es recomendable desmenuzarla, "amasarla" y humedecerla ligeramente, ya que de lo contrario, se dificulta su manipulación.

Turba: sustrato orgánico, ácido y muy liviano. Favorece la retención de agua y nutrientes.

Arena

Es una de las sustancias más utilizadas en las mezclas para sustratos, pero se debe incorporar en cantidades pequeñas. La arena mejora la estructura del sustrato, pero aporta peso. Las arenas utilizadas no deben contener elementos nocivos tales como sales, arcillas o plagas. La arena de río, que es la mejor, debe estar limpia para ser utilizada en una mezcla de sustratos. Aquella usada en construcción no es recomendable porque tiene mucha arcilla y por lo tanto, se compacta.

Sustratos sintéticos

Arcilla expandida o leca: esferas de arcilla con una granulometría variada obtenidas a partir de cierto tipo de arcilla sometida a altas temperaturas. Este tipo de sustrato posee una baja capacidad de retención de agua y una buena capacidad de aireación. Su pH está entre 5 y 7. Su uso, en general, es para formar una capa de drenaje de los contenedores.

Perlita agrícola: este sustrato mineral de origen volcánico blanco e inerte se forma luego de que ha sido expandido por calentamiento a casi 1000 °C. Su pH es neutro y retiene de 3 a 4 veces su peso en agua. En la mezcla de sustratos, proporciona aireación y aumenta la retención hídrica. Los yacimientos donde se extrae este mineral se encuentran en la provincia de Salta, en el norte de la Argentina.

Vermiculita: es un silicato de aluminio, hierro y magnesio de estructura micácea. Su pH es neutro y retiene un 40 ó 50% de su peso en agua. Posee buena capacidad de intercambio iónico. Se comercializa en cuatro tamaños diferentes de partículas. Es un sustrato muy importante en la mezcla para la cobertura de las bandejas de siembra, formando 1/3 de esta.

Arcilla expandida.

Perlita agrícola. Este sustrato inerte ha sido expandido por calentamiento a 1000° C. Su pH es neutro y retiene de 3 a 4 veces su peso en agua. Proporciona aireación y aumenta la retención hídrica en la mezcla.

Vermiculita. Es un silicato de aluminio, hierro y magnesio de estructura micácea. Su pH es neutro y retiene un 40 ó 50% de su peso en agua. Existen cuatro tamaños de partículas y las de 0,75 a 1 mm de diámetro son las usadas para la mezcla de germinación de semillas.

CAPÍTULO
4

Las macetas y
los contenedores

Capítulo 4
Las macetas y los contenedores

La elección de las macetas o los contenedores para armar una huerta depende-rá en gran medida de su peso, del material de fabricación y del costo.

El mercado ofrece muchas opciones, formas y tamaños. Los materiales más utilizados en la fabricación de macetas y contenedores son:

Barro cocido: se ha utilizado desde los comienzos de los cultivos fuera del suelo. El barro cocido es un material poroso y con gran valor estético. Sus desventajas son su peso y sobre todo, su fragilidad.

Fibrocemento: con este material se fabrican en general los contenedores de mayor capacidad, son más pesados que los plásticos, pero estratégicamente ubicados en las zonas de más resistencia de terrazas y balcones son adecuados para el cultivo de tomates, berenjenas o trepadoras como chauchas o pepinos. Frutales pequeños como los kumquats o quinotos pueden desarrollarse y fructificar en estos contenedores.

Materiales plásticos: los plásticos no presentan porosidad, pero tienen la gran ventaja de ser muy livianos, resistentes y económicos. Actualmente se fabrican contenedores plásticos reforzados y de gran valor estético. Son ideales para balcones y terrazas.

Macetas de cemento pintado: económicas y resistentes. Su peso (vacías) es un factor para tener en cuenta.

El mercado ofrece muchas variedades de forma y tamaño en macetas de cemento pintado.

Contenedor de cemento pintado.

Macetas de barro cocido: son porosas, estéticas y frágiles.

Jardineras de fibrocemento; con este material se fabrican los contenedores de mayor capacidad.

Macetas plásticas: no presentan porosidad, pero son livianas, económicas y resistentes.

Porosidad y permeabilidad de los contenedores

Las macetas de barro cocido presentan una porosidad que será variable dependiendo del tipo de arcilla con que fueron construidas.

Si bien no son muy permeables, la evaporación del agua en la cara externa de la maceta crea una succión que provoca la transferencia del agua desde el sustrato hacia el exterior. Este paso de agua no es nada despreciable sobre todo en ambientes secos y con elevada temperatura. Los depósitos de sales que se observan en este tipo de contenedor son la evidencia de esta transferencia.

Los materiales plásticos no son ni permeables ni porosos. El riego para el desarrollo saludable de las plantas va a depender en gran medida del tipo de pared de los contenedores y de las condiciones ambientales.

La salud de las raíces, y por ende de las plantas, también va a depender de la circulación de aire en un sustrato. En general, las mezclas de sustratos son muy porosas, pero cuando el sustrato no está lo suficientemente aireado, las raíces se ubican en la parte superior del contenedor, más rica en aire. Cuando su desarrollo horizontal se ve impedido por la pared de la maceta, las raíces se desarrollan preferentemente en la interfaz sustrato/pared. Este fenómeno se observa frecuentemente cuando se renuevan los cultivos anuales: el sustrato se ha compactado y hay una gran masa de raíces rodeando todo el cepellón.

En un sustrato compactado se observan gran cantidad de raíces en la interfaz sustrato/pared del contenedor rodeando el cepellón

¿Qué contenedor elegir?

- **En terrazas:** son determinantes el peso y las elevadas temperaturas a las que está expuesto el contenedor en verano.

- **En balcones:** observar el peso del material de fabricación. Los plásticos son los más adecuados.

- **En patios:** el peso no es determinante, pero si hay falta de luz solar en invierno es conveniente incorporar el sistema de ruedas en los contenedores más pesados.

Macetas y platos para evitar derrames de agua.

¿Cómo calcular la cantidad de sustrato?

Los sustratos se comercializan en bolsas de diferentes tamaños y el contenido viene expresado en dm^3. Esta tabla nos permite calcular el número de bolsas que vamos a precisar para llenar los contenedores.

Ejemplo: si la capacidad del contenedor es de 250 dm^3, necesitaremos 5 bolsas de 50 dm^3 para llenarlo.

Medidas del contenedor Largo x ancho x alto (cm)	Capacidad (dm^3)
120 x 30 x 30	108
100 x 50 x 50	250
100 x 40 x 40	160
100 x 30 x 30	90
80 x 30 x 30	72
60 x 30 x 30	54

¿Cómo llenar el contenedor?

1. Hacer perforaciones en el fondo del contenedor que permitan la eliminación del exceso de agua (por riego o por lluvias excesivas).

2. Colocar una capa de 3 cm de leca (o piedras partidas, canto rodado, trozos de ladrillos o macetas de terracota). La ventaja de la leca sobre el resto de los materiales es su poco peso.

3. Preparar una mezcla de 50% de compost maduro + 20% de turba o resaca de río + 20% de tierra negra + 10% de perlita agrícola. Incorporar a una profundidad de 15-20 cm un puñado de harina de hueso digestada.

4. Llenar hasta 1 cm antes del borde. Con el sustrato suelto es el momento ideal para sembrar o trasplantar los plantines.

5. Una vez terminada la tarea, colocar una cobertura natural y regar.

Perforaciones en la base del contenedor.

Incorporación de la capa de leca.

Corchos. Excelente manera de reciclarlos usándolos como capa de drenaje. Son livianos y duran aproximadamente 2 años.

Mezcla de sustratos.

Proporciones de los diferentes sustratos en el corte de un contenedor.

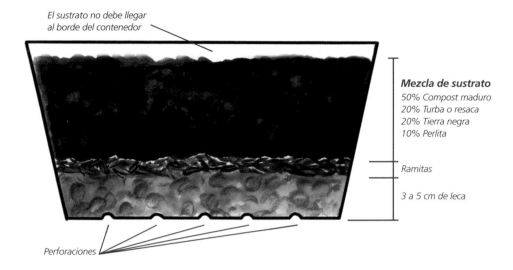

El sustrato no debe llegar
al borde del contenedor

Mezcla de sustrato
50% Compost maduro
20% Turba o resaca
20% Tierra negra
10% Perlita

Ramitas

3 a 5 cm de leca

Perforaciones

El uso de las coberturas naturales o mulch

*El sustrato desnudo queda indefenso ante la incidencia de los rayos UV que destruyen
la delicada vida presente principalmente en el compost de la mezcla.*

La lluvia o el riego golpean la superficie, compactándola, el viento arrastra la capa superficial y las heladas en invierno penetran en el sustrato paralizando la actividad biológica.

En la naturaleza, la capa de humus siempre está cubierta por una capa de plantas vivas o por desechos orgánicos. Al cubrir los sustratos, estos se benefician ya que se evita la pérdida de humedad y de calor, generándose un microclima favorable para los seres vivos que con su actividad mejoran la fertilidad. También son un excelente control de malezas, pues al impedir el paso de luz solar, no pueden desarrollarse.

Durante los meses cálidos es vital cubrir los contenedores con un mulch orgánico, pero en épocas de mucha humedad, es conveniente retirar un poco de esta cobertura.

Chips de madera: provienen de la corteza de árboles. Por esta razón, es la cobertura natural más duradera y estética.

Viruta de madera blanda utilizada para el transporte de frutas.

Reciclado de elementos

Esta es sin duda la opción más ecológica. Baldes, latas, bidones o bolsones de plástico resistente son útiles a la hora de cultivar.

Con maderas se pueden armar contenedores a medida y muy estéticos. Dentro de esta opción, es posible construir una mesada de cultivo que permita trabajar sin agacharse. A una altura de 0,80 cm, de 0,60 m de ancho x 1,20 m de largo y con una profundidad de 0,20 m se pueden cultivar cebollas de verdeo, puerros, lechugas, rúculas, radicheta, rabanitos, albahaca y perejil, entre otros.

Protección para plantines reciclando un envase plástico.　Acelga desarrollándose en un contenedor reciclado.

El riego

Regar correctamente una planta consiste en suministrarle instantáneamente el agua que necesita.

En condiciones normales de crecimiento existe una relación estrecha entre la cantidad de agua utilizada por la planta y la cantidad de materia que produce. Para muchas especies vegetales se necesita una media de 200 a 250 litros de agua para elaborar 1 kg de materia seca. La eficacia del agua varía según el medio ambiente y según el potencial de la planta (potencial genético y estado fisiológico). Para racionalizar el riego, se procura ajustar las necesidades ligadas a la demanda climática. El clima es el motor de la evapotranspiración. Los factores que entran en juego son: la radiación, procedente de los rayos solares y la convección, energía de los intercambios de calor con el aire, cuya intensidad depende de la temperatura de este, de la humedad relativa y de su velocidad con que se genera el desplazamiento. En pleno verano, la frecuencia de riegos deberá ser elevada debido a las altas necesidades de las plantas y al volumen limitado que tienen a su disposición las raíces en una maceta. Un sistema programable de riego por goteo conectado a una canilla puede ser muy eficiente, ya que al haber una provisión programada de agua, se evita que las plantas florezcan prematuramente y que las hojas se vuelvan duras disminuyendo su calidad gourmet. Este sistema optimiza el aprovechamiento del agua al evitar las pérdidas por evaporación. Esta va directamente a la raíz y genera zonas de humedad hacia donde se dirigen las raíces. No se mojan las hojas, previniéndose de esta forma el ataque de hongos.

El criterio orgánico de riego se basa en ***"regar con inteligencia"***, cuyas premisas son:

- Mantener un alto porcentaje de materia orgánica en el sustrato que por su efecto esponja retendrá cantidades significativas de agua.
- Aplicar coberturas naturales sobre el sustrato como chips de madera o paja que retienen la humedad y lo protegen de los efectos del sol y del viento.
- Construir protecciones para atenuar el efecto deshidratante del viento.
- Conocer las necesidades de las plantas: estas requieren agua continuamente, las demandas son mínimas por la noche y máximas al mediodía. La mejor hora para regar es por la mañana, ya que se minimiza la evaporación y al mediodía las plantas tendrán cubiertas sus necesidades.

El riego manual permite el monitoreo diario de la evolución de los cultivos.

Maceta de autorriego. Se fabrica con una botella de PET de 2 l, se corta, se invierte la parte superior y se llena con el sustrato. En la parte inferior se coloca el agua que subirá a medida que lo requiera la planta.

Riego con manguera. En terrazas y en verano son necesarios al menos 2 riegos diarios.

Las plantas aromáticas requieren en general menos riego que las hortícolas.

Reutilizando un envase de PET como regadera, contribuiremos a disminuir los grandes volúmenes de basura urbana.

CAPÍTULO
5

Compostar
en la ciudad

Capítulo 5

Compostar en la ciudad

En una ciudad, es vital recuperar los grandes volúmenes de materia orgánica que se pierden en los basurales y que son los componentes básicos del compost. Separar la basura en orgánica y no orgánica es el primer paso a nivel individual y domiciliario.

El vocablo "compost" proviene del latín *componere* que significa "juntar". Por esta razón es que el compost puede ser considerado como la agrupación de un conjunto de restos orgánicos que a través de un proceso de fermentación da por resultado un producto inodoro y con alto contenido de humus. El compost no es propiamente un abono, sino que actúa como un regenerador orgánico de suelos. Desde una mirada ambientalista, posee un inestimable valor, ya que se trata de la recuperación de materia orgánica a partir de los desechos originados por la actividad humana, que sin ningún tratamiento contaminarían el entorno. Cuando compostamos, imitamos a la naturaleza en su forma de reciclar, pero le aportamos las condiciones de temperatura y humedad que aceleren este proceso. En la naturaleza, cuando un animal muere, comienza su descomposición producida por la acción de microorganismos, larvas de insectos, agua, luz y aire para finalmente incorporarse al suelo y nutrirlo. Las hojas de los árboles caducos que caen al suelo, lentamente se van descomponiendo e incorporándose al suelo en forma de humus. Los estiércoles sufren un proceso de fermentación interno para luego también enriquecer el suelo. La enorme "cabellera" formada por las raíces de las plantas no sólo ejerce un trabajo de labranza en el suelo, sino que al morir la planta, la desintegración de estas raíces se "composta" y también se incorpora al suelo.

La incorporación de compost en un suelo

- *Evita la erosión:* al no formarse capas duras, el agua penetra en el perfil permitiendo el desarrollo de las plantas que evitarán la erosión superficial del suelo.
- *Favorece la retención de agua:* debido a su "efecto esponja" retiene seis veces su peso en agua.
- *Libera nutrientes:* los ácido húmicos ayudan a disolver los minerales del suelo, dejándolos a disposición de las plantas.
- *Airea el suelo:* al tener una estructura muy porosa, aumenta la circulación de aire en el suelo favoreciendo la vida de los microorganismos benéficos.
- *Nivela el pH:* un suelo rico en materia orgánica permite que las plantas resistan mejor los cambios de pH.
- *Induce la resistencia de las plantas:* favorece el desarrollo de antibióticos naturales y mecanismos de defensa de las plantas. Lombrices y hongos benéficos necesitan del compost para desarrollarse libremente.
- *Promueve la actividad biológica:* los microorganismos son indispensables para la salud del suelo. En un gramo de humus hay aproximadamente mil millones de microorganismos entre bacterias, hongos, algas y actinomicetes. Estos organismos descomponen las sustancias orgánicas en sus componentes básicos: agua, CO_2 y minerales.

La mezcla de sustratos sugerida en el capítulo 3 está formada por compost en un 50%; el uso de las coberturas naturales y el grado de humedad óptima garantizarán la "salud" del compost que se reflejará en la salud de los vegetales.

¿Cómo hacemos compost en la ciudad?

Los restos húmedos y frescos de la cocina familiar se pueden reciclar y obtener un compost que complementará la nutrición de nuestras plantas hortícolas y ornamentales.

Se necesita un contenedor plástico, de madera o metal, que tenga buen drenaje y permita la circulación de aire.

Canasto apto para armar un compost frío. Estos en particular son descartados por los verduleros ya que se usan para el transporte de kiwis.

Clasificación de la basura

La clasificación de la basura comienza en la cocina dividiendo los restos orgánicos de los inorgánicos en dos contenedores separados.

Tipos de residuos

Residuos aptos

Cáscaras de frutas y verduras. Hojas, hierbas y malezas. Cartón. Estiércol de herbívoros. Cabellos y pelos. Papel de diario (a discreción). Cáscaras de huevo. Restos de infusiones (té, café, mate). Restos de plantas y flores. Servilletas de papel. Tierra. Sustratos usados en macetas. Corchos.

Residuos no aptos

Piedras sanitarias de mascotas. Cenizas con grasa. Carne, huesos y grasas. Latas. Metales. Pañales. Papel de aluminio. Plásticos. Restos de plantas enfermas o con plagas. Restos de comidas aceitosas. Revistas con fotografía color. Material de Tetrabrik. Vidrios.

Restos frescos provenientes de la cocina.

Incorporación del material por capas

En el contenedor elegido echaremos los desperdicios orgánicos cotidianamente, pero para "arrancar" el proceso es conveniente incorporar el material por capas.

1. La capa inferior o de drenaje estará compuesta por restos de poda, trocitos de madera o corchos; sobre esta, una capa de residuos mezclados como cáscaras, flores marchitas, hierbas u hojas.

2. Si disponemos de estiércol, poner una capa fina, luego un poco de tierra, otra capa de residuos frescos y una última capa de tierra evitando de esta manera los posibles malos olores.

3. Humedecer y cubrir con algún material que permita la circulación de aire. Observar cómo paulatinamente disminuye el volumen por fragmentación y deshidratación de los materiales acumulados, lo cual permitirá seguir echando restos. Diferentes organismos asimilarán estos desperdicios transformándolos en material útil para las plantas.

Diferentes grados de maduración de un compost frío.

¿Cómo seguir?

Sin dudas, la mejor forma de compostar es si colocamos directamente el digestor sobre la tierra, pero en balcones o terrazas esto no es posible.

Cuanto más pequeños sean los restos orgánicos que incorporemos, más rápido será el proceso de compostaje. Por lo tanto, cuando preparamos una ensalada, si los restos los cortamos de la misma forma, aceleraremos el proceso. En Europa y Estados Unidos se comercializan compostadores urbanos muy eficientes y estéticos, pero como aún no están disponibles en nuestro mercado, debemos recurrir a nuestra creatividad y disponibilidad de recursos.

El contenedor elegido debe permitir la circulación de aire y el drenaje de los líquidos excedentes del proceso. En un balcón es conveniente colocar una bandeja en la base.

Cuando el contenedor esté lleno hasta las 3/4 partes de su capacidad, dejamos de incorporarle restos orgánicos y comenzamos a llenar otro. De esta forma el primero completará su maduración. El proceso puede durar de 2 a 6 meses, dependiendo del tipo de contenedor, de la temperatura exterior y de los restos orgánicos que incorporamos.

Material fresco.

Incorporando lombrices obtenemos un excelente producto.

Este tipo de compostaje produce un leve olor avinagrado que atrae a las mosquitas de la fruta o del vinagre *(Drosophila melanogaster).* Las hembras de esta especie depositan sus huevos directamente sobre los restos húmedos. Si bien no acarrean ningún tipo de problema, su proliferación les resulta incómoda a algunas personas. Una forma de controlar en cierto modo su población es tapar los restos con hojas de papel que dificultarán a las hembras la puesta de huevos.

Bicho bolita (Armadillium vulgare). *Este crustáceo prefiere alimentarse del compost que de las raíces vivas.*

Vida en el compost.

A medida que el compost va madurando, cae al cajón inferior, dónde es muy fácil su cosecha. Una vez vacío podemos ponerlo nuevamente en la parte superior y repetir el proceso.

Lombrices californianas.

Compost listo para cosecharlo.

Compost maduro.

¿Cómo mantener la fertilidad en nuestras macetas?

El alto porcentaje de compost en la mezcla de sustratos nos garantizará un buen aporte inicial de nutrientes, que irá disminuyendo paulatinamente con el desarrollo de las plantas y con el lavado producido por los riegos.

El abonado natural consiste en estimular la actividad biológica de los microorganismos del sustrato proporcionándoles materia orgánica que ellos transformarán en sustancias asimilables por las plantas. Las sales químicas son muy solubles y son tomadas a gran velocidad por los vegetales corriéndose el riesgo muy frecuente de un exceso de nutrientes, el cual puede quemar las plantas o aumentar la susceptibilidad de estas al ataque de plagas o enfermedades.

Cada año es necesario reponer los nutrientes que "retiramos" del sistema al cosechar las plantas comestibles. El nitrógeno (N) es el nutriente necesario en mayor cantidad para las plantas y el más propenso a ser lixiviado por la lluvia o los riegos. Las leguminosas como habas, arvejas y chauchas son grandes fijadoras de nitrógeno debido a su asociación en nódulos radiculares con bacterias del género Rhizobium. La harina de sangre es una fuente de N de efecto rápido. El fósforo (P) es fundamental para la floración y consecuentemente para la producción de frutos. La harina de huesos digestada es una buena fuente orgánica de este nutriente. El potasio (K, de *kalium* en latín) promueve el desarrollo vigoroso del sistema radicular, siendo por lo tanto un nutriente fundamental en cultivos como cebollas, zanahorias, nabos y remolachas. La ceniza de madera es muy rica en potasio.

En condiciones urbanas, quizá lo más práctico es recurrir a los fertilizantes ecológicos sobre la base de aminoácidos esenciales. Estos preparados comerciales no provocan los desequilibrios producidos por las sales de síntesis química. Pero también podemos preparar de forma hogareña purines naturales que, además de nutrir a las plantas, les aportarán sustancias que aumentarán su resistencia. El purín de compost o el de ortiga son ejemplos de estos preparados.

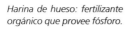

Harina de hueso: fertilizante orgánico que provee fósforo.

Purín de compost

El purín o té de compost puede prepararse de forma casera para mejorar la fertilidad con la incorporación de nutrientes solubles y como inductor de la resistencia por incorporación de productos benéficos producidos por los microorganismos. Su efectividad va a depender de muchos factores tales como el método de preparación, el tipo y el grado de maduración del compost y la frecuencia de aplicación. Se aplica por riego o vía foliar con un rociador. Para su preparación, se mezcla 1 parte de compost maduro con 5 partes de agua, se agita y se deja fermentar durante 3 a 7 días. Por cada litro de líquido podemos agregar una cucharada de melaza o azúcar para incrementar el desarrollo de microorganismos. Luego de la fermentación se agita bien, se filtra y se diluye en una proporción de 1:5 hasta 1:10. La dilución 1:10 es la indicada para la aplicación vía foliar. Las plantas ornamentales también agradecerán recibir estos rocíos benéficos. Como preventivo de enfermedades y para estimular el desarrollo de microorganismos en el sustrato se recomienda aplicar este purín cada 7 ó 10 días.

Buenas compañías, las asociaciones vegetales

Las plantas modifican su entorno por medio de las secreciones de sus raíces influyendo de esta forma en el crecimiento de las plantas vecinas.

Las asociaciones de plantas se basan en las observaciones y las experiencias de los agricultores orgánicos durante siglos. Las investigaciones científicas aportan más información sobre los procesos que estimulan o inhiben el crecimiento de plantas vecinas.

"Asociar" significa combinar dos plantas con un fin particular. Este fin suele ser generalmente el control de plagas, pero en la prác-

tica son más los factores que inciden en el buen desarrollo de los cultivos asociados.

No todos los insectos son enemigos, sino todo lo contrario. Asociando con plantas que dan protección a los predadores, no sólo aumentaremos la biodiversidad sino que estos insectos controlarán las plagas que atacan a nuestras hortalizas.

Caléndula: es una planta muy atractiva de insectos benéficos. Para contenedores son recomendables las variedades compactas.

Buenas asociaciones en macetas

Lechuga con puerro (o cebolla de verdeo)
Hinojo con escarola
Acelgas con rabanitos
Zanahorias con lechugas
Remolachas con perejil
Lechuga con apio
Tomates con albahaca y copetes
Repollo con ajos
Brócolis con lechuga morada

Lechugas y cebollas en la misma maceta.

Tomates y albahacas.

CAPÍTULO

6

La siembra orgánica

Capítulo 6

La siembra orgánica

Aprender a propagar nuestras hortalizas favoritas nos permitirá disfrutarlas en su punto óptimo, frescas y sin agroquímicos.

Reproducir nuestras plantas a partir de semillas tiene muchos beneficios. El primero es obviamente el ahorro de dinero, con pocos insumos y unos sobres de semillas ya tendremos todo el lote necesario para armar nuestra huerta hogareña.

Otro beneficio es la mayor variedad de hortalizas y flores disponibles en catálogos en comparación a las que ofrecen ya desarrolladas los viveros de venta. La ausencia de fungicidas y otros agrotóxicos también estará garantizada, ya que utilizaremos técnicas orgánicas de siembra. Las plantas hortícolas se desarrollan básicamente en dos temporadas de cultivo: primavera-verano y otoño-invierno. Es importante conocer la época de siembra correcta de cada especie para poder acompañarlas en un crecimiento saludable. La prevención de plagas y de enfermedades también depende del momento correcto de siembra y de las condiciones que encuentre la semilla al germinar. El calendario de la página siguiente nos aportará la información sobre el momento adecuado para sembrar.

Exhibición de semillas de hortalizas a la venta.

Calendario de siembra de las especies hortícolas más adecuadas para macetas

Hortaliza	Época de siembra en almácigo	Época de siembra directa o transplante definitivo	Tiempo de germinación en días	Duración del cultivo en meses	Período de cosecha
Acelga	-	Diciembre / abril	7-12	3-6	Todo el año
	-	Mayo / diciembre	7-12	3-6	Todo el año
Ajo (diente)	-	Febrero	15	5-7	Septiembre / diciembre
	-	Marzo / abril	15	5-7	Octubre / diciembre
Albahaca	Septiembre	Octubre / noviembre	6-10	5-7	Diciembre / mayo
Apio	Septiembre/diciembre	Octubre / enero	10-20	6-7	Mayo / agosto
	Marzo	Mayo	10-20	6-7	Noviembre
Berenjena	Agosto	Octubre	7-10	5	Diciembre / abril
Brócoli	Febrero	Febrero / abril	5-10	3-5	Mayo / agosto
Cebolla (verdeo)	Febrero	Marzo / abril	10-15	4-6	Mayo / agosto
Chauchas	-	Septiembre / noviembre	8-10	2-3	Noviembre / abril
Hinojo	Enero / marzo	Marzo / mayo	8-10	3-4	Julio / septiembre
Lechuga	Diciembre / marzo	Enero / abril	4-10	2-3	Marzo / mayo
	Agosto / noviembre	Septiembre / diciembre	4-10	2-3	Noviembre / febrero
Pepino	-	Septiembre/ octubre	6-8	3-4	Diciembre / marzo
Pimiento	Agosto	Octubre	7-15	4-5	Marzo
Puerro	Agosto / septiembre	Septiembre/ octubre	7-15	3-5	Febrero / marzo
	Marzo / abril	Mayo / junio	7-15	3-5	Agosto / septiembre
Repollo	Febrero / marzo	Marzo / abril	5	4-6	Julio / octubre
	Octubre	Noviembre	5	4-6	Mayo / julio
Rúcula	-	Agosto / marzo	7-10	1-2	Septiembre / abril
Tomate	Julio / agosto	Octubre	7-12	3-4	Enero / febrero
	Noviembre	Diciembre	7-12	3-4	Marzo
Zanahoria	-	Diciembre / abril	10-20	2-3	Marzo / julio
	-	Mayo / noviembre	10-20	2-3	Agosto / febrero
Zapallito	-	Septiembre / noviembre / enero	6-8	3-5	Diciembre / abril

Nota: estas fechas de siembra están dirigidas a la situación media de la República Argentina. Hacia el Norte, en invierno, las siembras pueden adelantarse entre 15 y 30 días; mientras que hacia el Sur, se retrasan entre 15 y 60 días.

Una vez que determinamos aproximadamente el número de plantas que vamos a necesitar, dependiendo del consumo familiar y de los gustos personales, podremos comenzar con la siembra. Las bandejas plásticas (Plugs, almacigueras o Speedlings) están compuestas por pequeñas celdas en número variable. Es recomendable elegir las bandejas con celdas de mayor capacidad. En cada celda se coloca el sustrato y una semilla.

Mezcla de sustratos para la siembra

- ¼ de turba
- ¼ de perlita agrícola
- ¼ de compost maduro tamizado
- ¼ de tierra negra tamizada

Se llenan las celdas con esta mezcla, se siembra y por encima se coloca una fina cobertura formada por 1/3 de turba, 1/3 de vermiculita y 1/3 de perlita agrícola. Luego se riega con lluvia fina.

Los almácigos en bandeja plástica, si bien son ideales a la hora del trasplante, ya que se evita la ruptura de raíces, al tener poco volumen de sustrato son sensibles a la falta de agua y requieren riegos más frecuentes que los almácigos realizados en cajoncitos.

Es necesario mantener la humedad constante del sustrato, especialmente hasta la germinación. Si en ese período llega a faltar agua, las semillas mueren rápidamente. Al tacto, el sustrato siempre debe estar húmedo y fresco. Los almácigos requieren cuidados especiales y sin duda un pequeño invernáculo es lo ideal. Cocinas y lavaderos frecuentemente presentan muy buenas condiciones para la siembra. Recordemos que los plantines van a necesitar sol para su desarrollo cuando emerja la plántula, de lo contrario, la plantita se alarga mucho, debilitándose.

Sustrato para siembra.

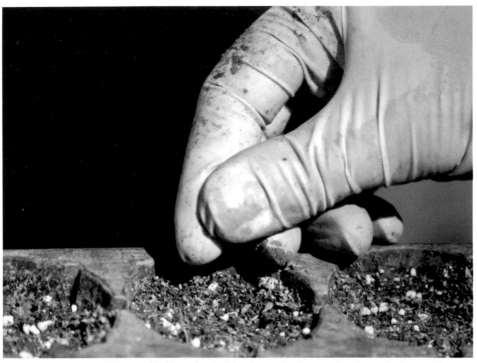

Se colocan una o dos semillas por celda (dependiendo del poder germinativo, especie y tiempo de almacenaje).

Detalle del plantín. Las raíces han formado una estructura compacta dentro de la celda; por lo tanto, es el momento de trasplantarlo.

Plantín de perejil.

Temperaturas ideales para una germinación exitosa		
Vegetal	Temperatura mínima (°C)	Temperatura máxima (°C)
Acelga	4	30
Berenjena	15	30
Cebolla	2	24
Espinaca	2	21
Lechuga	2	24
Perejil	4	24
Remolacha	4	30
Repollo / Coliflor	4	30
Tomate	10	30
Zanahoria	4	26

Preparación del almácigo en cajón

Para preparar un almácigo son ideales los cajoncitos de madera con una profundidad de 7 a 10 cm.

1. Cubrir el fondo con una capa de paja, pasto seco o ramitas finas; por encima.
2. Colocar una capa de 5 cm de tierra negra y llenar el cajón con una mezcla por partes iguales de tierra negra tamizada y compost maduro también tamizado. Si vamos a sembrar flores o frutos, un puñado de harina de huesos enriquecerá en fósforo esta mezcla.
3. Marcar surcos paralelos a 10 cm con una tablita y humedecerlos.
4. Colocar las semillas.
5. Tapar con la mezcla de tierra y compost, cubrir con una fina cobertura de pasto seco y regar con lluvia fina.

Plantines de repollo en un cajón reciclado.

La profundidad de siembra es un aspecto importante en el proceso germinativo. Varía con cada semilla, ya que va a depender de su tamaño. Podría generalizarse que esta puede ser igual o un poco superior al grosor de las semillas redondeadas (crucíferas en general) e igual al largo de las semillas alargadas (lechugas, cucurbitáceas).

El embrión va a crecer a expensas de las sustancias de reserva que tiene la semilla en forma de almidón. Este comienza a desarrollarse hasta alcanzar la luz solar, luego por el fenómeno de fotosíntesis, la planta comienza a generar sus propias sustancias de reserva. Por lo tanto, si sembramos a mucha profundidad, el embrión puede agotar sus reservas en crecer y no llegará a la luz que será su fuente de energía. Si la siembra es muy superficial, se corre el riesgo de que se seque rápidamente y no alcance a germinar. Es importante el íntimo contacto de la semilla con el sustrato, esto se logra con una leve presión de la palma con la mano o con algún elemento plano.

Los zapallitos, berenjenas, tomates, ajíes, chauchas y pepinos podemos sembrarlos en pequeñas macetitas para asegurarnos de que las raíces no sufran durante el trasplante, ya que con sólo invertir la macetita y sostener el plantín entre los dedos, lo retiraremos sin riesgos de lesiones en las raíces.

Cajón apto para la siembra.

Cómo reconocer los plantines que sembramos de los de las malezas

Si preparamos los cajones para almácigos unos días antes de la fecha elegida y los regamos diariamente, germinarán sólo las malezas, ya que aún no hemos sembrado las semillas elegidas. Una vez germinados, arrancamos estos plantines de malezas y en los surcos sembramos las semillas. De esta forma tendremos muchas menos malezas desarrollándose con los plantines de las verduras.

El trasplante

Cuando los plantines han desarrollado su segundo par de hojas verdaderas, es el momento de trasplantarlos a la maceta donde completarán su desarrollo.

El viento, el frío y el sol causan estrés en los plantines recién trasplantados, disminuyendo de esta forma su resistencia a enfermedades y plagas. Se deben elegir horas frescas para realizar los trasplantes y colocarles al finalizar algún tipo de protección, por ejemplo una malla media sombra.

Plantín de vid virgen (Parthenocissus tricuspidata). *Esta planta cubre grandes superficies de paredes en la ciudad, presentando en otoño una hermosa tonalidad rojiza.*

¿Cómo trasplantar?

1. Retirar los plantines cuidadosamente uno a uno con una cuchara.

2. Hacer un hoyo en el sustrato, colocar compost, luego el plantín y cubrir con más compost maduro.

3. Presionar el sustrato junto al plantín con ambas manos para asegurarse de que esté firme (sin compactar), colocar la cobertura y regar.

4. Cubrir con compost a nivel del cuello de los plantines de todas las hortalizas, en el caso del tomate, puede cubrirse parte del tallo, ya que con el tiempo, este hecha raíces.

Retirar el plantín.

Hacer un hoyo en el sustrato.

Colocar el plantín.

Presionar suavemente el sustrato con el plantín.

Colocar la cobertura o mulch.

Presionar suavemente la cobertura o mulch para asegurar el transplante.

Plantines de albahaca "Hoja de Lechuga".

CAPÍTULO
7

Los brotes
o germinados

Capítulo 7

Los brotes o germinados

No tener tierra o macetas para cultivar no es un límite a la hora de cosechar saludables producciones vegetales que complementen nuestra alimentación. En unos pocos cm² es posible germinar diferentes semillas y consumir sus brotes.

La práctica de germinar diferentes semillas se utiliza desde Extremo Oriente, donde se acostumbra germinar soja y soja verde (poroto mung), pasando por la India, donde los brotes de leguminosas enriquecen los platos, hasta el trigo en Medio Oriente y la germinación de los cereales en todas las regiones del mundo para la elaboración de diferentes bebidas alcohólicas. La fabricación de la malta por germinación de la cebada para la elaboración de cerveza es quizás el ejemplo más popular.

Las semillas son un alimento muy concentrado. Presentan un bajo porcentaje de agua y un alto porcentaje de almidón y proteínas. Esta es la razón por la cual no se consumen crudas y deben ser cocidas en agua para facilitar su asimilación. Durante la cocción, el almidón se transforma en azúcares más simples y digeribles. Este mismo fenómeno ocurre en la germinación. Pero existe una diferencia sustancial. Al cocer las semillas, estas mueren, perdiendo de esta forma su capacidad de germinar. Sucede lo contrario en la germinación. La germinación es un proceso maravilloso que libera la capacidad latente de la semilla para hacer de ella una nueva planta, capaz de crear más semillas.

Desde el momento en que la semilla entra en contacto con el agua, se desencadena un proceso en el que el almidón es transformado en azúcares simples por enzimas específicas y las proteínas, descompuestas en aminoácidos. Vitaminas y enzimas se sintetizan, y los minerales que se encuentran en la semilla se movilizan. A los pocos días, en presencia de luz, esta planta incipiente comienza a enverdecer y llega a su punto de máxima vitalidad. Ya es un brote o germinado. Este el momento ideal para su cosecha. Pasado este lapso, aumenta la cantidad de celulosa que dará sostén al germinado, pero que a la vez la vuelve más dura y menos asimilable para su consumo.

¿Qué factores afectan su desarrollo?

La agricultura biodinámica se rige por los ciclos lunares para todas las tareas relacionadas con los cultivos.

Cultivar brotes en casa permite observar claramente la influencia lunar en las germinaciones. Cuando la luna está en cuarto creciente, estas son visiblemente más rápidas.

Las estaciones también se manifiestan claramente en el desarrollo de los brotes. En pleno invierno, su metabolismo se desacelera tanto que la germinación puede retrasarse varios días. Al contrario, en octubre y noviembre, para el hemisferio sur, los procesos vitales se aceleran y la germinación se desarrolla rápidamente. El agua, el aire, la luz y la temperatura son fundamentales en el crecimiento. La falta de agua no permite el desarrollo y su exceso puede ser el medio perfecto para los hongos. El aire fresco, rico en oxígeno, es la base de la respiración celular y su falta provoca procesos de pudriciones en los brotes. La luz, cuando ya han aparecido los cotiledones de las semillas y su primer par de hojas verdaderas, proveerá la energía para la fotosíntesis. La temperatura será el catalizador del proceso, aumentando o disminuyendo su velocidad.

El valor nutricional de los brotes

Los brotes son el alimento vivo más antiguo y una fuente de clorofila, vitaminas, enzimas y aminoácidos de muy fácil asimilación.

Los brotes de alfalfa son una de las germinaciones más ricas y completas. El análisis de 100 g de sus brotes deshidratados presenta:

Vitamina		
A hasta 44.000 ui*	**B₁** 0,8 mg	**Ácido pantoténico** 3,3 mg
B 1040 ui	**B₂** 1,8 mg	**Inositol** 210 mg
E 50 ui	**B₆** 1,0 mg	**Biotina** 0,3 mg
K 15 ui	**B₁₂** 0,3 mg	**Ácido fólico** 0,8 mg
C 176 ui	**Niacina** 5 mg	

Minerales	
Fósforo 250 mg	**Magnesio** 310 mg
Calcio 1750 mg	**Cobre** 2 mg
Potasio 2000 mg	**Manganeso** 5 mg
Sodio 150 mg	**Hierro** 35 mg
Azufre 290 mg	**Boro** 4,7 mg

* **ui:** *unidades internacionales;* **mg:** *miligramos,* **mcg:** *microgramos.*

Fuente: **Nutritional Evaluation of Sprouts and Grasses.**

Brotes de alfalfa: en pocos días obtendremos "cosechas" nutritivas, saludables y económicas en pocos cm².

La soja verde o poroto mung (que son los germinados que más fácilmente se consiguen en supermercados y en verdulerías con la denominación de "brotes de soja") contienen la misma cantidad de vitamina A que el limón, tanta tiamina como la palta, tanta niacina como la banana y la misma cantidad de vitamina C que el ananá.

Las variaciones de luz durante su desarrollo también alteran su valor nutritivo. El contenido de las vitaminas C, A, E y K aumenta con la luz del día, pero el de vitamina B aumenta con la oscuridad.

Semillas de Poroto Mung o Soja Verde.

¿Qué granos germinar?	Cuáles NO
Alfalfa, arvejas, calabaza, rabanito, repollo, brócoli, berro, espinaca, escarola, acelga, remolacha, lentejas, garbanzos, girasol, mostaza, lechuga, radicheta, rúcula, lino, chía, mijo, nabo, mostaza, quinoa, amaranto, sésamo, soja, poroto mung y trigo.	*No es recomendable consumir los brotes de la familia de las Solanáceas, pues la presencia de solanina les confiere cierta toxicidad. Estos son los de tomates, ajíes y berenjenas.*

Condiciones para una buena germinación

Para que un grano germine necesita básicamente agua y aire. Germinará mejor si no está expuesto directamente a la luz y si la temperatura es de entre 20 y 25 °C.

Germinaciones en frasco de vidrio

Para los germinados en frascos de vidrio, podremos comenzar con alfalfa, porotos mung, lentejas, soja, arvejas o rabanitos.

En la naturaleza, los granos germinan en la tierra, es decir, en condiciones de oscuridad. Por lo tanto, elegiremos un lugar oscuro, o al menos evitaremos la luz directa. Los brotes de porotos mung son particularmente sensibles a la luz: sus raíces se ennegrecen y empiezan a pudrirse rápidamente.

¿Cómo germinar en un frasco?

1. Lavar los granos.

2. Poner en el frasco los granos suficientes para cubrir el fondo con tres "espesores de grano".

3. Agregar agua: al menos 3 veces el volumen de los granos. Cuanto más grande sea el grano, más tiempo podrá estar en agua. Por ejemplo: 3 horas para la alfalfa, 12 horas para las lentejas, soja y porotos mung. Luego del remojo, se desecha el agua y se enjuagan con agua limpia. Puede dejarse el frasco boca abajo con una rejilla en la boca.

4. Poner el frasco en un lugar oscuro y cálido.

5. Al principio, es recomendable enjuagar los granos dos veces por día, luego una vez por día es suficiente.

6. A los pocos días, dependiendo de la temperatura y de la especie, ya tendremos los brotes listos para el consumo.

Al igual que otra producción, es conveniente escalonar las germinaciones. Pueden conservarse hasta una semana en heladera, donde seguirán desarrollándose, pero a menor velocidad debido a la baja temperatura. El lino y la chía son complicados para germinar de esta forma, ya que liberan un mucílago que dificulta el proceso en estas condiciones.

Germinaciones en fuentes de arcilla esmaltada o en platos hondos

Esta forma es más sencilla que la germinación en frasco.

1. Colocar en la fuente sólo una capa de semillas y humedecer.

2. Poner en remojo el tiempo indicado para cada semilla (dependiendo de su tamaño).

3. Colocar inicialmente en un lugar oscuro u oscurecer la fuente de forma tal que circule aire.

4. Regar diariamente. También es recomendable enjuagarlas con cuidado y desechar esta agua.

5. Escalonar las siembras para una provisión constante de brotes frescos.

Rendimiento	10 g de semillas = 250 g de brotes

Algunos motivos de fracaso

- Las semillas son de mala calidad, demasiado viejas, están dañadas por el ataque de gorgojos o han sido almacenadas de forma inadecuada.
- Recibieron demasiada o poca humedad.
- Recibieron demasiado o poco calor.
- Estuvieron mal ventiladas o están muy apretadas en el recipiente de germinación.
- Cuando el recipiente es metálico.
- Se desarrollaron hongos.

¿Qué hacer cuando aparecen hongos?

Si a pesar de todas las precauciones tomadas aparecen hongos, es mejor tirar las semillas. Para poder reutilizar el recipiente, es conveniente hervirlo antes de volver a sembrar.
Como cualquier técnica, se va mejorando con la experiencia. Los brotes de alfalfa y de poroto mung quizá sean los más adecuados para comenzar con esta práctica.
Es importante recordar que no sólo la casa es adecuada para su cultivo sino que también puede extenderse a los lugares de trabajo y a las escuelas donde serán el complemento de almuerzos saludables.

Semillas de lentejas y alfalfa. Debido a su facilidad de cuidado, son muy indicadas para iniciarse en la producción casera de brotes.

Semillas de chía: al hidratarlas, liberan un mucílago que complica un poco la producción de sus brotes, pero colocando poca cantidad de semillas, se obtienen unos de los germinados más saludables.

Brotes de lentejas: Sabrosos y nutritivos.

Brotes de soja verde o porotos mung: cuando alcanzan este tamaño pueden conservarse en la heladera, donde seguirán desarrollándose, pero a menor velocidad.

Semillas de sésamo blanco y mostaza: los brotes de mostaza son picantes e ideales para acompañar ensaladas de hojas.

CAPÍTULO

8

La salud de
nuestras plantas

Capítulo 8
La salud de nuestras plantas

La salud de las plantas en la agricultura orgánica se basa en la prevención. Un sustrato equilibrado y nutritivo sumado a una atención correcta permitirá que nuestras hortalizas se desarrollen vigorosas y resistentes.

La salud de las plantas va a depender inicialmente del diseño de nuestra huerta en macetas. Tomar acciones preventivas en sectores localizados evitará problemas posteriores. Desviar y atenuar las ráfagas de viento o refrescar con algún tipo de protección las plantas en pleno verano serán acciones que protejan el bienestar vegetal. El cerco vivo constituido por ornamentales o plantas aromáticas más resistentes aislará y creará un microclima benéfico.

Inducción de la resistencia

En condiciones de buena salud, las plantas poseen eficaces sistemas inmunológicos que las protegen de plagas y enfermedades. Condiciones de estrés, como falta o exceso de agua y nutrientes, heladas u otros factores, llevan a la depresión de estas defensas.

Existen sustancias que desencadenan una serie de reacciones metabólicas que inducen mecanismos de defensa contra los patógenos. Por ejemplo, el engrosamiento de las paredes celulares que impide el ingreso del patógeno o la muerte de las paredes celulares infectadas que provoca también la muerte del patógeno y reduce su dispersión.

La resistencia inducida puede tener efecto por contacto con la parte afectada o difundirse por toda la planta por vía sistémica. Este mecanismo es comparable a la inmunización del cuerpo humano ante las enfermedades.

De forma casera, podemos hacer preparados específicos para inducir la resistencia de las plantas. El purín de compost no sólo es nutritivo sino que es también un preventivo de enfermedades. Para estimular el desarrollo de microorganismos benéficos en el sustrato se recomienda aplicar este purín cada 7 ó 10 días. El purín de ortigas no sólo aportará nitrógeno sino que también inducirá la resistencia.

Aplicación de purín de compost.

Cómo preparar el purín de ortigas

1. Mezclar 100 gramos de ortigas *(Urtica dioica o U. urens)* por litro de agua.
2. Agitar y dejar fermentar.
3. Después de 4 días, diluirlo 1:10.
4. Se aplica por riego en la zona radicular o sobre las hojas con rociador.

Detalle de las hojas de ortiga (Urtica dioica).

La nutrición y la resistencia a las plagas y las enfermedades

La susceptibilidad de una planta a ser atacada por una plaga o una enfermedad aumenta si hay un desequilibrio en la proporción de nutrientes o si está intoxicada por un agroquímico.

> *Para nutrir a las plantas no interesa la cantidad absoluta de nutrientes, sino la proporción correcta entre ellos* **(Chaboussou, 1983).**

Si por ejemplo aumenta solamente el nitrógeno, sin aumentar los otros nutrientes, las plantas crecen más, pero son parasitadas. Del mismo modo, aplicar un pesticida con base mineral, causa el exceso de este mineral, provocando la deficiencia de otros. Por ejemplo: al aplicar Maneb, un fungicida sobre la base de manganeso contra Botrytis, causa deficiencia de calcio que permite el establecimiento de Antracnosis. En resumen, se puede afirmar que la plaga respeta a la planta sana.

Plantas benéficas

Estas son algunas de las plantas que benefician con su presencia a sus vecinas.

Identificación y control de malezas	
Plantas	**Efectos**
Ajo *(Allium sativum)*	Cultivado cerca de las lechugas actúa como repelente y fungicida.
Albahaca *(Ocimun basilicum)*	Cultivada cerca de los tomates actúa como repelente de la chinche verde *(Nezara viridula)*.
Cresta de gallo *(Amaranthus sp.)*	Atrae avispitas del género Tricogramma que parasitan numerosos lepidópteros.
Taco de reina o capuchina *(Tropaeolum majus)*	Mantiene libres de pulgones a las crucíferas.
Copete, clavel de moro *(Tagetes patula y T. minuta)*	Estas plantas producen en sus raíces una sustancia nematicida. Si cultivamos asociados tomates o melones con Tagetes, mantendremos alejados a los nematodes de estos cultivos susceptibles de su ataque.
Romero *(Rosmarinus officinalis)*	Repele la mosca de la zanahoria.
Salvia *(Salvia officinalis)*	Repele la mosca de la zanahoria y la mariposa blanca del repollo.

Copete (Tagetes sp.). *Estas plantas producen en sus raíces una sustancia que mata a los nematodes patógenos del suelo.*

Capuchina (Tropaeolum majus).

Salvia (Salvia officinalis).

Otras estrategias orgánicas

La cobertura o mulch no sólo es una buena protección del sustrato y la humedad sino que también sirve de refugio a enemigos naturales que pasan el invierno como adultos. Este es el caso de las chinches predatoras y las vaquitas.

La rotación de cultivos interrumpe el ciclo reproductivo de numerosas plagas. Por lo tanto, no es conveniente cultivar en el mismo contenedor del ciclo anterior la misma especie hortícola.

Trampas

Una trampa posee dos elementos importantes: un cebo o atractivo, por el cual el insecto es atraído, y un dispositivo que lo captura.

Los atractivos más comunes son: la luz, el color amarillo y las sustancias como las feromonas sexuales, el extracto de malta, el vinagre y el eugenol, entre otros.

Las trampas de luz son efectivas para capturar lepidópteros nocturnos, cuyas larvas son los llamados comúnmente gusanos cortadores. Las trampas amarillas son atractivas para dípteros, trips, pulgones y chicharritas. Estas pueden ser trampas formadas por un recipiente amarillo con agua limpia o las trampas amarillas pegajosas fabricadas con una tablita pintada de amarillo cubierta con una sustancia adhesiva transparente (por ejemplo, aceite aditivo para motores). Los insectos atraídos por el color quedarán adheridos al pegamento. En algunos países, es común la comercialización de estas trampas amarillas pegajosas.

Las trampas alimenticias más comunes en una huerta son la trampa de cerveza y la trampa para la mosca de la fruta. La primera se utiliza para controlar las poblaciones de babosas y caracoles que se ven atraídas por la cerveza y mueren ahogadas dentro del recipiente enterrado en el sustrato. La segunda es indicada si tenemos frutales. Se cuelgan de las ramas, en forma horizontal, botellas plásticas de 500 cc con un agujero lateral, conteniendo una solución de agua con vinagre que atrae a la mosca de la fruta, que una vez dentro, no puede salir.

Trampa amarilla fabricada con el cuello de un envase de lavandina.

Estas trampas son atractivas para dípteros, trips, pulgones y chicharritas.

Preparados naturales

Si bien estos preparados no son fitotóxicos ni tóxicos para mamíferos, sí lo son para los insectos benéficos.

Están admitidos en la agricultura orgánica, pero sólo recurriremos a su uso luego de haber evaluado si no cometimos errores previos en el manejo de las plantas (sustrato compactado, estrés hídrico por falta de riego, etcétera).

El contenido en sustancias activas de las plantas es muy variable según la época del año, el lugar y las condiciones meteorológicas. Por esta razón, las cantidades indicadas son orientativas.

Elaboración de estos preparados

Se recogen sólo las plantas vigorosas y se rechazan las marchitas y enfermas. Pueden usarse secas o frescas. El secado se realiza a la sombra, sin exceder los 35 °C, en un lugar cálido y aireado. Se extienden las plantas sobre un papel en el suelo y luego se cuelgan en ramitos del techo. Dependiendo del tipo de planta y de los componentes que se deseen extraer, se utilizan diferentes procedimientos:

| Maceración | Purín fermentado | Purín en fermentación | Decocción | Infusión |

Maceración: se colocan las plantas desmenuzadas en un recipiente y se vierte agua fría sobre ellas. La maceración dura 24 horas como mínimo y tres días como máximo, ya que las plantas no deben fermentar. Posteriormente, se filtra y se aplica.

Purín fermentado: se colocan las plantas desmenuzadas en un recipiente y se vierte agua fría sobre ellas. El líquido se remueve en círculos diariamente para oxigenarlo y favorecer la fermentación. Luego de dos semanas, el líquido se ha vuelto oscuro y ya no hace espuma al removerlo. Es el momento de filtrarlo y está listo para ser aplicado.

Purín en fermentación: se prepara de la misma forma que el anterior, pero se lo deja fermentar sólo 3 ó 4 días. Los restos del filtrado pueden dejarse para que complete la fermentación y usarlo como purín fermentado.

Decocción: se desmenuzan las plantas y se ponen en remojo en agua fría por 24 horas. Posteriormente, se hierven durante 20 ó 30 minutos. Se deja enfriar la decocción con el recipiente tapado y luego se filtra.

Infusión: se desmenuzan las plantas en un recipiente que soporte el calor y se vierte agua hirviendo por encima. Se tapa el recipiente y se deja en infusión de 12 a 24 horas para luego filtrarlo.

Decocción.

Infusión.

- Es recomendable usar agua de lluvia o agua no clorada.
- Los tratamientos sobre la base de plantas no deben hacerse con tiempo lluvioso o a pleno sol.
- Pueden mezclarse varias plantas para complementar sus efectos.

La dosis indica la cantidad de planta necesaria para 1 litro de preparado concentrado. En estos casos, podemos utilizar 50 g de planta fresca por litro de agua. La dilución indica la cantidad de preparado concentrado necesario para preparar 100 litros de líquido para pulverizar. Por ejemplo: una dilución del 10% indica que para preparar 100 litros de líquido se necesitan 10 litros de preparado concentrado + 90 litros de agua.

Preparados vegetales

M: maceración; **PF:** purín fermentado; **PEF:** purín en fermentación; **D:** decocción; **I:** infusión.

Planta	Parte utilizada	M	PF	PEF	D	I	Observaciones
Ajenjo (*Artemisia absinthium*)	Tallos y flores	●					Al 20%. Repele pulgones, orugas y hormigas
Ajo (*Allium sativum*)	Dientes	●			●	●	Al 20%. Controla hongos, ácaros y pulgones.
Cebolla (*Allium cepa*)	Bulbos			●			Al 10%. Previene el ataque de hongos.
Cola de caballo (*Equisetum arvense*)	Planta entera sin raíz		●		●		Al 20%. Controla pulgones y ácaros. Pulverizar 3 veces por día. A pleno sol.
Ortiga (*Urtica dioica* y *U. urens*)	Planta entera sin raíz	●	●	●			PF: al 5% como inductor de resistencia. PEF: de 4 días. Controla pulgones y ácaros. M: de 24 h. Controla pulgones. Aplicar puro.
Ruda (*Ruta graveolens*)	Hojas	●					200 g/l. Al 20%. Controla pulgones.
Taco de reina (*Tropaeolum majus*)	Planta fresca (100 g/l.)				●		Al 5%. Repele pulgones.
Tomate (*Lycopersicon esculentum*)	Brotes procedentes de la poda		●				50 g/l. Controla la mosca del puerro y pulgones.

Preparados minerales

Azufre: se utiliza finamente molido para espolvorear como polvo mojable en agua. La dosis es de 4 g/l de agua. Actúa por contacto y por asfixia sobre arañuelas, oídios y otros hongos.

Caldo bordelés: compuesto por sales de cobre (sulfato de cobre), actúa como fungicida contra viruela, torque y otros hongos. Se recomienda aplicar al 2% en otoño y al 1% en primavera.

Jabón blanco: las soluciones de jabón actúan sobre psylidos, moscas blancas y arañuelas. La dosis recomendada es de 10 g/l.

Jabón negro o potásico: se prepara una solución de 10 cm^3/l. Se puede aplicar todo el año sobre el follaje. Controla pulgones y ácaros, pero también insectos benéficos. Para aplicar en frutales, la dosis es más concentrada: 25 a 30 cm^3/l.

Polvo de hornear: desde la década de 1930 que se utiliza como fungicida de contacto. Dependiendo de la enfermedad, es necesario seleccionar el bicarbonato más adecuado para cada tratamiento. Para la roya, el bicarbonato de potasio es el ideal. En 4,5 l de agua se incorpora 1 cucharada colmada de polvo de hornear + $^1/2$ cucharadita de jabón líquido.

Tierra de diatomeas: esta "tierra" está formada por las cáscaras porosas y microscópicas de diatomeas. Las diatomeas son algas unicelulares que vivieron en los lechos de los lagos de agua dulce hace 30 millones de años y que al emerger la Cordillera de los Andes quedaron al descubierto sus yacimientos. En agricultura orgánica se utiliza para el control de plagas actuando por deshidratación de los patógenos al perforarles su exoesqueleto. No sólo no presenta toxicidad, sino que además incorpora al suelo micronutrientes frecuentemente escasos en suelos cultivados. Por supuesto que este producto no distingue entre insectos patógenos y benéficos, por esta razón sólo debemos aplicarlo sobre los patógenos identificados. Su uso es también indicado en el almacenaje de semillas y en el control de plagas de mascotas.

Caldo bordelés: clásico fungicida compuesto por sales de cobre.

Polvo de hornear: actúa como fungicida de contacto.

Jabón blanco: su solución controla moscas blancas, psylidos y arañuelas.

Tierra de diatomeas: al espolvorearla sobre las plagas, las controla por deshidratación.

Otros preparados

Aceite hortícola casero: se utiliza para controlar plagas que hibernan en forma de pupa o huevo. Se mezclan 200 cm³ de aceite de soja con 1 cucharada de jabón líquido. Diluir 1 cucharadita del preparado en 200 cm³ de agua para aplicar por pulverización sobre las plantas.

Agua: a veces es suficiente aplicar sobre las colonias de pulgones agua con un rociador de abajo hacia arriba. Si no es un ataque muy generalizado, debería ser la primera medida a tomar.

Alcohol de ajo: para su preparación necesitaremos 5 dientes de ajo, 500 cm³ de alcohol, 500 cm³ de agua. Licuar, filtrar y guardar en la heladera. Diluir 1 parte del producto en 5 partes de agua y pulverizar el follaje o el suelo. Tiene acción insecticida, repelente y fungicida.

Preparado de paraíso I *(Melia azedarach):* el paraíso actúa como toxina de contacto y de ingesta por la presencia de limonoides. Esta especie es muy frecuente en el arbolado urbano, lo cual facilita mucho su obtención. Se maceran los frutos maduros, "venenitos", en agua por 2 semanas, luego se diluye 1 parte del producto en 5 partes de agua. Se rocía alrededor de los canteros, ya que actúa como repelente de hormigas.

Preparado de paraíso II: se machacan 200 g de semillas en 1 litro de alcohol, se deja reposar 10 días en la oscuridad. Se aplica por pulverización, diluido 1 parte en 10 de agua.

Propóleo: tiene efectos fungicidas y antivíricos. Utilizado en bajas dosis, estimula el desarrollo vegetal. La tintura se prepara diluyendo 20 g de propóleo en 80 cm³ de alcohol. Para su aplicación, se diluyen 2 cm³ por litro de agua.

Solución de leche: esta solución favorece el desarrollo de microorganismos antagonistas y puede contribuir a reducir el virus del mosaico del tomate. Se mezclan 100 cm³ de leche entera con 900 cm³ de agua. Se aplica cada 10 días de forma preventiva.

Yoghurt; con este producto se prepara una solución que actúa como preventivo del ataque de hongos patógenos.

Solución de yogur: la solución de yogur al 5% actúa como un preventivo del ataque de hongos en plantas susceptibles. Provoca un cambio en el pH de las hojas lo cual impide se instale el patógeno.

Vapor: frecuentemente la pulverización de vapor de agua es suficiente para limpiar de plagas la mayoría de las plantas hortícolas, ornamentales o frutales. Las máquinas de limpieza doméstica en este punto tienen una función muy ecológica de lucha directa sobre los patógenos.

Pulverización con agua.

Frutos de paraíso (Melia azedarach).

Dientes de ajo.

Productos comerciales ecológicos.

Propóleo.

Control orgánico de las malezas en terrazas, caminos o balcones

Mezclar ¾ de vinagre + ¼ de detergente y aplicar con chorro directo sobre las malezas.
No aplicar directamente en el suelo o en el sustrato.

Aplicación de preparado para control orgánico de malezas.

¿Qué significa una enfermedad en las plantas?

Una enfermedad es una alteración morfofisiológica provocada por agentes parasitarios o no parasitarios.

Los agentes parasitarios son los hongos, los virus y las bacterias. Los oídios, las royas o la fumagina forman parte de este grupo. Los agentes no parasitarios que causan enfermedades son los nutricionales, los ambientales, los químicos y los mecánicos. Estos tipos de enfermedad son muy frecuentes en las condiciones urbanas de cultivo.

- **Agentes nutricionales:** carencia de macro y micronutrientes en el sustrato.
- **Agentes ambientales:** altas o bajas temperaturas, cantidad inadecuada de agua o luz, granizo.
- **Agentes químicos:** contaminación.
- **Agentes mecánicos:** los traumatismos como son las amputaciones o las laceraciones y las estrangulaciones provocadas por hilos o alambres muy ajustados en tallos o ramas.

Oídio en hojas de zapallo.

Con nuestras labores y nuestras decisiones somos grandes responsables de la salud de nuestras plantas. El monitoreo constante nos permitirá detectar la aparición de una plaga, podredumbres provocadas por hongos o simplemente fallas de riego o problemas de compactación. El secreto está en mantener la salud del sustrato, lo cual se evidenciará en la salud de la planta y finalmente, en nuestra salud.

CAPÍTULO

9

El cultivo de las
hortalizas
en contenedores

Capítulo 9
El cultivo de las hortalizas en contenedores

Cada hortaliza tiene un desarrollo particular y requerimientos específicos que son importantes de conocer antes de comenzar su cultivo. La elección de un contenedor inadecuado limitará un desarrollo saludable.

La salud de las plantas va a depender inicialmente del diseño de nuestra huerta en macetas. Tomar acciones preventivas en sectores localizados evitará problemas posteriores. Desviar y atenuar las ráfagas de viento o refrescar con algún tipo de protección las plantas en pleno verano serán acciones que protejan el bienestar vegetal. El cerco vivo constituido por ornamentales o plantas aromáticas más resistentes aislará y creará un microclima benéfico. Las particulares condiciones urbanas nos acotan la forma de llevar adelante una huerta. Para facilitar y ordenar de cierta forma dependiendo de las posibilidades del espacio y del lugar, dividiremos las hortalizas en: las que se pueden cultivar en macetas de hasta 0,30 m de profundidad y las que requieren de 0,50 m o más.

Pequeños ajíes comestibles y ornamentales.

- **Primer grupo** - En macetas de hasta 0,30 m podremos cultivar:

  Rúculas, radichetas, lechugas, brócolis, variedades pequeñas de repollos, puerro, ajo, cebolla de verdeo, echalote, apio, acedera, valerianella (hierba de los canónigos), frutillas, rabanitos y las variedades pequeñas de tomate cherry y ajíes.

  La mayoría de las aromáticas se desarrollan bien en estas jardineras, como por ejemplo: ajedrea, albahaca, ciboulette, eneldo, estragón, hinojo selvático, tomillo, mejorana, melisa, mostaza, perejil, cilantro, romero, salvia y menta en todas sus variedades.

Frutillas.

Hierba de los canónigos (Valerianella locusta).

• *Segundo grupo* - En macetas de 0,50 m o más podremos cultivar:

Acelgas, remolachas, brócolis, repollos, achicorias, radicchios, apio, berenjenas, zapallitos, coliflor, repollos, espinaca, ajíes, arvejas, habas, hinojos, chauchas, pepinos, rábanos, tomates y zanahorias. En los espacios libres se pueden cultivar todas las enumeradas en el primer grupo teniendo en cuenta las asociaciones más favorables.

> ***Alcauciles, choclos, papas y los pequeños frutales requieren los contenedores más profundos disponibles para su desarrollo.***

Repollo "Corazón de Buey".

Los tomates prefieren contenedores profundos y al sol.

Para comenzar: consultar el calendario de siembra del capítulo 6 para ver las fechas indicadas para cada caso.

Primer grupo - Siembra directa

En el contenedor lleno con el sustrato rico en compost, marcamos surcos paralelos, aplicamos compost puro en ellos y los humedecemos con cuidado. Sembramos en los surcos y cubrimos con compost. Sobre toda la superficie aplicamos una cobertura natural. Luego, regamos. Cuando emergen las plantitas, si están muy juntas, se ralean. Estas plantitas no se descartan, se pueden consumir como brotes frescos en ensaladas u otras preparaciones. Con esta técnica podemos sembrar: rúcula, rabanitos, radicheta, valerianella y lechugas. Los dientes de ajo se plantan directamente en el sustrato con el brote hacia arriba en el otoño. Cultivándolos en macetas se pretende consumir su delicioso follaje aromático. Las frutillas se multiplican por estolones que emite la planta madre.

Especie	Características	Propagación y manejo
Rabanitos. *Raphanus sativus.* Redondos, alargados	Anual de ciclo muy corto.	Siembra directa todo el año. Es conveniente escalonar las siembras. Distancia entre plantas: 10 cm. Se asocia con cultivos de ciclo más largo. Cosechar antes de que comiencen a ahuecarse.
Radicheta. *Chicorium sp.* Spadona, hoja fina (sugerida para macetas) Zuccherina hoja ancha	Anual, con tallo corto. Cultivo muy rústico y resistente a temperaturas bajas.	Siembra directa en líneas o al voleo sobre la superficie del contenedor. Desmalezar. Se cosechan con cuchillo o tijera cuando llegan a 10-15 cm.
Rúcula (oruga). *Eruca sativa*	Planta anual en forma de roseta. Se consumen las hojas tiernas. Si florece, las flores se consumen crudas. *Eruca selvática* es más pequeña, rústica y de sabor más picante.	Siembra directa en primavera y otoño. Requiere raleo. Si las plantas están muy próximas, hay riesgo de ataque de roya.
Valerianela. *Valerianella locusta* (canónigos, Dulceta, Mâche)	Planta anual, pequeña y arrosetada. Se consumen las hojas de sabor anuezado. Las variedades Coquille, D'Etampes y Elan son más adecuadas para macetas.	Se propaga por semillas, por siembra directa o en almácigos. Ciclo otoño-invierno. Ideal para climas fríos o como cultivo intercalado con otros.

Primer grupo - Siembra indirecta

Preparamos el almácigo en bandejas plásticas, cajoncitos o vasitos y, cuando la planta alcanza el primer par de hojas verdaderas, se procede al trasplante.
De esta forma podemos sembrar: lechugas, repollos, puerro, cebolla de verdeo y las variedades pequeñas de tomates y ajíes.

Especie	Características	Propagación y manejo
Lechuga. *Lactuca sativa* Criollas Mantecosas Arrepolladas	Anual, de tallo corto, sus hojas forman una roseta que varía de color y textura según la variedad. Little gem y Tom Thumb son variedades enanas, ideales para macetas.	Por semilla en almácigo y siembra directa en verano. Sensibles al exceso de sol estival.
Cebolla. *Allium cepa*	Plantas bulbosas. Se asocian bien con compuestas y umbelíferas.	Se propagan por semilla en almácigo a fines de verano-principios de otoño. Tardan aproximadamente 15 días en germinar. En contenedores se pueden consumir como verdeo antes de engrosar el bulbo.
Puerro. *Allium porrum*	Planta anual, no forma bulbo. Cultivo rústico. *King Richard* es una variedad enana.	Se propagan por semilla en almácigo a fines de verano-principios del otoño. Es conveniente plantar profundamente los plantines (12 cm) haciendo un hoyo con una estaca para que quede el cuello bien cubierto, luego continuar con aporques para blanquear.

Especie	Características	Propagación y manejo
Echalote (Chalota). *Allium ascalonicum*	Planta anual, que se multiplica bajo tierra a medida que va creciendo. Sabor entre ajo y cebolla, pero más delicado.	Se reproduce por semilla o por los bulbos. Estos se plantan a fines de verano-otoño. Distancia de plantación: 12 cm. Cosechar cuando las hojas declinan. Dejar que se sequen bien en un lugar fresco y seco.
Repollo. *Brassica oleracea* Blancos Colorados Crespos	Planta perenne que se cultiva como anual, con tallo corto y raíz pivotante. Las hojas son de diversos colores y forman una cabeza compacta y de diferentes formas.	Por semilla en almácigo. Se siembran todo el año, según la variedad. En contenedores prosperan variedades pequeñas como el Corazón de Buey.

Segundo grupo - Siembra directa

Nabos y zanahorias. No soportan bien los trasplantes.

Especie	Características	Propagación y manejo
Zanahoria. *Daucus carota*	Planta anual con raíz pivotante engrosada. Hay variedades enanas *(Baby carrots)*.	Se propaga por semilla en siembra directa en primavera-verano y otoño-invierno. Raleo y desmalezado. *Distancia entre plantas:* 5-8 cm. Se cosecha la planta entera. *Ciclo:* de 5-6 meses.
Nabos. *Brassica napus*	Planta anual con raíz pivotante engrosada.	Se propaga por semilla en ciclo de otoño-invierno. Para contenedores son aconsejables las variedades pequeñas. Raleo y desmalezado. Distancia entre plantas: 10 cm.

Segundo grupo - Siembra indirecta

Acelgas, remolachas, brócolis, repollos, achicoria, radicchios, apio, berenjenas, zapallitos, coliflor, repollos, espinaca, ajíes, arvejas, habas, hinojos, chauchas, pepinos y tomates.

Especie	Características	Propagación y manejo
Berenjena. *Solanum melongena* Tipo larga Tipo redonda Tipo oriental	Planta perenne cultivada como anual. Es un arbusto de tallo y raíz leñosos. Flores solitarias o racimos pequeños. Fruto baya de forma, color y tamaño variable.	Se propaga por semillas en almácigo, luego se trasplanta. *Siembra:* junio-agosto. *Trasplante:* agosto-septiembre. Pasados 15-20 días del trasplante es necesario aportarles compost maduro. *Cosecha:* hasta la llegada de heladas. Necesitan sustratos muy fértiles + aporques + compost maduro. La distancia de plantación es de 0,50 m.
Ajíes (Pimientos). *Capsicum annum* Tipos cúbicos Tipo alargado español Tipo vinagre Tipo chili	Planta perenne cultivada como anual. Es un arbusto de tallo y raíz leñosos. El fruto es una baya hueca de tamaño y color variados. Hay variedades pequeñas ideales para macetas.	Se propaga por semillas en almácigo, luego se trasplanta. *Siembra:* julio-septiembre. *Trasplante:* septiembre-octubre. *Cosecha:* desde enero hasta las primeras heladas. Necesita sustratos muy fértiles + aporques + compost maduro.

Especie	Características	Propagación y manejo
Acelga *Beta vulgaris var. Cicla*	Planta anual que forma una roseta de hojas con pecíolos ensanchados insertadas en un tallo corto. Cultivo muy rústico. Hay variedades muy ornamentales como las Bright Lights con pecíolos coloreados.	Se propaga por semillas en almácigo y siembra directa. Se siembra el fruto que lleva aproximadamente 4 semillas en su interior (glomérulo), en primavera-verano y otoño-invierno. Las hojas más externas y grandes se cosechan escalonadamente.
Tomates. *Lycopersicon esculentum* Tipo perita Tipo cherry	Planta perenne que se cultiva como anual, inflorescencia amarilla en racimos, posee un sistema radicular importante. El fruto es una baya.	Se propaga por semillas en almácigo, luego se trasplanta. *Siembra:* julio-agosto. *Trasplante:* septiembre-octubre. *Cosecha:* enero-marzo. Necesita sustratos muy fértiles + aporques + compost. Asociar con *Tagetes sp.*
Arvejas. *Pisum sativum* Enanas (- 70 cm)	Planta anual, trepadora con zarcillos. Requiere de tutor para sostener la planta.	Siembra directa de junio hasta agosto, cosecha de agosto a octubre.
Pepino *Cucumis sativus*	Planta anual, trepadora o rastrera.	Por semilla en siembra directa o indirecta en envase pequeño de septiembre a diciembre.

Siembra directa de rabanitos.

Zapallito largo.

Tomates.

Plantines de lechuga morada. Esta es una de las formas de comercialización de estos plantines. Es necesario hacer los trasplantes cuidadosamente para evitar la ruptura de raíces.

Apio. En macetas es indicada esta variedad productora de hojas (y no de tallos) para aromatizar sopas y otras preparaciones.

Aji en flor: señal de un futuro fruto.

Flores de zapallitos. Presentes en muchas preparaciones italianas.

Pepino: esta hortaliza requiere una estructura de soporte para su desarrollo.

Retiraremos cuidadosamente los brotes axilares de los tomates.

Tomates perita asociados con copetes.

Los tomates pequeños son ideales para contenedores.

Berenjena en formación.

Zapallito largo: se observan los restos florales. En ese momento son una delicia gourmet.

Tomates perita cultivados con Alisum (Lobularia marítima).

Ají en formación.

Cómo producir papas en un contenedor

Es necesario un contenedor profundo, ya que las papas son tallos engrosados y vamos a ir incorporando sustrato a medida que se desarrolle la parte aérea para fomentar el crecimiento subterráneo.

Dividimos en 6 la profundidad del recipiente y en el 1/6 inferior plantamos los trozos de papas con los "ojos" hacia arriba (máximo tres ojos por trozo de papa). A medida que se van desarrollando los tallos, vamos incorporando sustrato rico en tierra negra y compost hasta completar el contenedor. La planta va a crecer y a dar una floración rosada muy ornamental (es importante recordar que cuando la papa se introdujo en Europa ocupaba lugar en los jardines y no en las huertas). Cuando las flores decaen, se voltea el recipiente y entre el sustrato encontraremos las papitas desarrolladas. Este contenedor tiene que estar ubicado a pleno sol.

Una vez lleno, va a ser muy pesado. Este método es interesante para producir variedades poco frecuentes como las papas coloradas que serán una delicia recién cosechadas y cocidas enteras con cáscara al vapor.

Flores de papa: para cosechar los papines debemos esperar a que estas decaigan.

Cosecha de papines colorados.

Algo más sobre lechugas

Las lechugas son en general la verdura de hoja preferida en la mesa e ideales para cultivar en una huerta en macetas.

Son de crecimiento rápido, se adaptan a todas las estaciones y toleran una alta densidad de plantación. El secreto para disponer siempre de lechugas consiste en cultivar la variedad correcta en cada época del año.

El tiempo que tarden en desarrollarse será en función de la estación del año y de las condiciones del tiempo, pero existen algunos datos que al conocerlos nos permiten calcular la fecha de cosecha. Podemos dividirlas en tres grandes grupos de variedades: las lechugas para cortar (las hojas blandas y sueltas no forman un centro), las mantecosas de hojas redondeadas blandas o crujientes formando un centro (cogollo) más o menos cerrado; y las lechugas romanas con hojas rígidas, crujientes y erectas reunidas en un cogollo alargado.

De la siembra a la cosecha el número de días estimado es:

Lechugas para cortar: de 45 a 60 días.	**Mantecosas:** de 60 a 75 días	**Romanas:** más de 75 días.

En una huerta urbana las variedades de lechuga para cortar son ideales, ya que soportan la cosecha de sus hojas exteriores, evitando de esta manera descalzar la planta entera. Son muy sabrosas y encontramos desde variedades de hojas verde claro hasta los tonos púrpura oscuros.

Lechugas

Variedad	Caracteristicas
Lollo Rosa	Hojas rizadas, con el centro verde y los bordes púrpura. Es una planta que tolera el calor.
Lollo Biondo	Hojas rizadas de color verde amarillento. Muy ornamental.
Hoja de roble rizada	Hojas verdes con bordes festoneados.
Salad Bowl	Lechuga de fácil cultivo, hojas color verde lima. Resistente al calor.
Red Salad Bowl	Hojas de color púrpura que a medida que maduran se tornan más oscuras. Altamente ornamental.
Royal Oak leaf	Forma una roseta de color verde oscuro. Las hojas tienen los bordes similares a las del roble europeo.
Biondo lisce	Hojas pequeñas y tiernas. Soporta cosechas progresivas a partir del mes de plantación. Con tiempo cálido es conveniente cortar las hojas exteriores para demorar la floración. Color verde claro.

Plantines de lechugas.

Hojas de lechuga verde limón.

En contenedores pequeños cosecharemos las lechugas cuando el cogollo aún sea pequeño.

Lechuga crespa: de crecimiento rápido y resistente al calor.

Lechuga "Maravilla de las Cuatro Estaciones" a punto para su cosecha.

Lechuga Flecha tostada. Muy resistente al frío.

Estas lechugas moradas son muy sensibles al calor, al subir la temperatura terminan rápidamente su ciclo.

CAPÍTULO
10

Las hierbas y
las plantas
aromáticas en
macetas

Capítulo 10

Las hierbas y las plantas aromáticas en macetas

Como "hierbas" y "plantas aromáticas" se designa a los ejemplares que se utilizan básicamente como condimento de las distintas preparaciones culinarias. Comprenden desde especies leñosas hasta herbáceas perennes y anuales. Estas poseen aceites esenciales o aromáticos en hojas, flores, raíces o tallos que caracterizan a cada planta.

Según sus características, las hierbas aromáticas son empleadas generalmente en poca cantidad, pero no por esta razón tienen un papel menos importante en una huerta o en un conjunto de macetas. La mayoría tienen un alto valor ornamental y otras poseen propiedades medicinales.

Albahaca anisada.

Salvia ananá (Salvia elegans): *Ideal para acompañar ensaladas de frutas.*

Grupo de hierbas aromáticas.

Pinzado de flores de albahaca.

Su importancia en el diseño

Debido a su importancia biológica y a su resistencia a los vientos, un sector recomendado para su cultivo es el cerco vivo.

- **Romero y orégano:** atraen abejas y otros polinizadores.
- **Hinojo:** durante el otoño-invierno será el refugio de las vaquitas benéficas predatoras de pulgones, como *Cycloneda sanguínea;* y en la primavera, su floración amarilla atrae avispitas parásitas, otro importante controlador de plagas de la huerta.
- **Cilantro, lavanda, albahaca y eneldo:** son grandes productores de polen y néctar.
- **Laurel:** conducido como arbusto no sólo será un productor de hojas aromáticas, sino que resistirá ráfagas de viento gracias a la flexibilidad de sus ramas y a la rusticidad de sus hojas.

Laurel en maceta.

Perejil a la venta.

Tomillo variegado.

Ciboulette o cebollino en flor.

Plantines de aromáticas en vivero.

Las plantas aromáticas en su mayoría tienen una exigencia de exposición al sol de aproximadamente unas 6 horas, como sucede con el tomillo, romero, orégano, mejorana, salvia, ciboulette o lavanda. Otras agradecen o soportan bien algo de sombra como perejil, albahaca, cilantro, melisa o eneldo.

Podemos cultivar en los contenedores junto a las plantas hortícolas: perejil, albahaca y cilantro, ya que sus exigencias de sustrato y riego son similares. Es importante recordar (o investigar en bibliografía) la zona de origen de cada planta; esto nos dará la pauta de sus exigencias de sustrato y sol, ya que bajo la clasificación de plantas aromáticas se agrupan plantas de variadas exigencias y familias botánicas.

Algunas como el romero, el tomillo, la salvia o el orégano son originarias de la costa mediterránea, donde el suelo es pobre, arenoso y tienen una gran exposición al sol. Exigen poco riego ya que están adaptadas a la falta de agua.

La ciboulette o cebollino requiere un suelo más rico con agregado de compost y similar al sustrato para las hortalizas, pero al ser una planta perenne, no es conveniente cultivarlas juntas, ya que romperíamos su sistema radicular con las cosechas de las plantas cercanas.

Eneldo. Planta muy atractiva de vaquita predatoras. Se consumen sus hojas y semillas

Dos variedades de Salvias: Condimentarias y ornamentales.

Mezcla de sustratos sugerida

50% de compost maduro, 10% de perlita agrícola, 30% de tierra, 10% de resaca + un puñado de arena gruesa.
Para albahaca, ciboulette, perejil y cilantro: 50% de compost + 20% de tierra + 10% de perlita + 20% de resaca o turba.
Cubrir siempre con una cobertura natural.

Mantenimiento orgánico general

Aplicar purín de compost cada 15 días en primavera-verano en todas las plantas.
En las hierbas en las que cosecharemos sus hojas frescas (perejil, ciboulette, albahaca o cilantro) es conveniente regar semanalmente con purín de ortiga durante la primavera, de esta forma tendrán la provisión necesaria de nitrógeno.

Tabla por familia botánica

Labiadas		
Planta aromática	**Caracteristicas**	**Propagación y manejo**
Albahacas *Ocinum basilicum*	Planta aromática anual. Muy sensible a heladas. *Green ruffles, Purple ruffles, Limón, Cinnamon* son algunas de las variedades.	Siembra en almácigo, a partir de septiembre. Pinzar la floración para prolongar la producción de hojas. Proteger de las heladas.
Ajedrea *Satureja arvensis*	Se utilizan las hojas y los apéndices florales. Es una hierba astringente y antiséptica con un sabor algo picante que recuerda a la pimienta. Tiene gran valor ornamental, es muy rústica, requiere suelos bien drenados, pH: de neutro a alcalino. Poco riego y ubicada a pleno sol. Es muy atractiva para abejas y mariposas.	Se reproduce por semilla o estacas.
Orégano *Origanum vulgare*	Planta perenne. Pleno sol. Requiere sustratos sueltos y levemente alcalinos. Todos los años luego de la floración es conveniente realizar una poda fuerte que renovará la planta.	Se puede propagar por semilla, pero lo más frecuente es la división de matas o los acodos en otoño-invierno. Los gajos enraizan fácilmente en primavera y en otoño.
Menta *Mentha sp.*	Planta perenne. Rastrera. *Mentha rotundifolia* (Hierbabuena)	Se puede propagar por semilla, pero lo más frecuente es la división de matas o el enraizamiento de los estolones. Cultivar sola, ya que invade todo el contenedor.
Melisa *Melissa officinalis (Toronjil, Hierba limón)*	Planta perenne y de hábito rastrero. Se cultiva bien a pleno sol, pero tolera la media sombra. Es necesario controlar su crecimiento con podas regulares, ya que puede ser muy invasora. Se utilizan las hojas para aromatizar comidas. En infusión, con fines sedantes.	Se propaga por división de matas en otoño o primavera o se siembra a comienzos de primavera. Cultivar sola ya que invade todo el contenedor.
Romero *Rosmarinus officinalis*	Planta perenne. Arbustiva. Sustrato suelto, no tolera el exceso de agua; si esto ocurre, el follaje se vuelve marrón y la planta comienza a declinar. Es una planta melífera, condimentaria y medicinal.	Se propaga por estacas en otoño y a comienzos de primavera cuando se encuentra en plena floración.

Planta aromática	Características	Propagación y manejo
Salvia *Salvia officinalis*	Planta aromática perenne de hojas aterciopeladas y color glauco. Existen variedades de hojas variegadas o púrpuras. Sensible al exceso de agua. Sustrato suelto.	Se propaga por semilla en primavera y por estacas en verano. Cuando los tallos leñosos se alargan es conveniente realizar una poda que mantendrá la planta compacta.
Tomillo *Thymus sp.*	Es una planta perenne y rastrera. Existen muchas variedades adaptadas a las diferentes regiones. Las floraciones van desde el blanco al lila, pasando por diferentes rosados. Requiere sustrato suelto con buen drenaje y soporta una media sombra leve. En maceta cae en forma de cascada cubriendo el envase.	Se propaga por semillas o por división de matas en otoño-invierno. Es una planta melífera, condimentaria y medicinal.
Liliáceas		
Ciboulette o Cebollino *Allium schoenoprasum.*	Planta perenne, muy rústica. No es exigente en sustratos, pero prospera mejor en los ricos y sueltos. Es muy ornamental por su floración que forma pequeñas cabezas de color lila en primavera.	Se propaga por semillas o por división de matas en primavera. Se adapta muy bien a los contenedores y soporta los cortes frecuentes a 2 cm del sustrato.
Nirá o Taré *Allium tuberosum*	Planta perenne, muy rústica. No es exigente en sustratos, pero prospera mejor en los ricos y sueltos. En la cocina oriental, se consumen las hojas salteadas o blanqueadas. Sabor suave similar a la ciboulette.	Se propaga por semillas o por división de matas en primavera. Se debe cosechar poco antes de abrir las flores. No dejar secar, se utiliza fresca.
Umbelíferas		
Perejil *Petroselinum crispus* Tipo común. Tipo crespo	Planta bianual. Condimentaria. Las variedades de hoja plana son más aromáticas.	Se propaga por semilla en siembra directa en primavera-verano y otoño-invierno. Germina lentamente. Sustrato fértil y húmedo.
Cilantro / Coriandro *Coriandrum sativum*	Planta anual. Sustrato fértil y húmedo. Perejil chino. Crecimiento rápido. Pleno sol. Floración muy ornamental. Soporta el calor. Si nuestro interés son las hojas frescas, una sombra parcial será lo conveniente. Las plantas destinadas para semillas se dejarán florecer y se regarán menos.	Se propaga por semilla en otoño-invierno. La siembra puede ser directa (que requerirá un posterior raleo) o en almácigo. Su floración es visitada por numerosos insectos benéficos. Escalonar las siembras, hacer cortes frecuentes y quitar las flores nos garantizará una provisión continua de hojas frescas.
Eneldo *Anethum graveolens*	Es una planta anual, cultivada por sus hojas y sus semillas. Esta especie tiene importancia biológica por ser muy atractiva para vaquitas predatoras de pulgones.	Se multiplica en otoño o primavera por siembra directa o en pequeñas macetas, ya que no tolera bien los trasplantes.
Asteráceas		
Ajenjo *Artemisia absinthium*	Planta con gran valor ornamental. Pleno sol. Forma globosa. El follaje tiene una tonalidad grisácea. Floración amarillo verdosa a fines del invierno. Ideal para el cerco vivo. Sabor levemente amargo. Consumir con moderación, ya que presenta toxicidad.	Se reproduce por semillas y por estacas. En contenedores no alcanza el tamaño final y la base de las ramas suele pelarse.

Planta aromática	Caracteristicas	Propagación y manejo
Curry *Helicrysum italicum* *H. angustifolium*	Planta aromática con valor ornamental. Follaje grisáceo. Resistente a las heladas. Las hojas se incorporan en los ramitos aromáticos para dar un sabor que recuerda al curry.	Se reproduce por semilla o por estacas. Tiene un buen desarrollo en contenedores amplios. Se cosecha en plena floración.
Estragón *Artemisia dracunculus*	Perenne y rastrera. Las principales variedades son el ruso y el francés. El segundo es sensible al frío, pero de sabor más refinado.	Se reproduce por semilla a principios de primavera o por división de matas. En otoño se lo poda al ras y se lo cubre con mulch liviano hasta fines de invierno.
Manzanilla *Anthemis nobilis* *(Matricaria chamomilla)*	Requiere suelos drenados y una exposición a pleno sol. Sus flores se usan en infusiones.	Se reproduce por semilla. Florece en primavera-verano.

Crucíferas		
Mostaza *Sinapsis alba*	Planta anual con hermosa floración amarilla. Se cultiva por sus semillas y por sus hojas que dan un sabor especial a las ensaladas estivales. Es muy rústica.	Se propaga por semillas en primavera.

Romero: aromática perenne que requerirá cambios de macetas para alcanzar un desarrollo vigoroso.

Mentas: la Mentha rotundifolia *(follaje verde) es la utilizada en coctelería y pastelería. La variedad variegada es menos aromática.*

Perejil con Alisum (Lobularia marítima). Esta floral es muy atractiva de insectos benéficos.

Curry (Helicrysum italicum).

Ciboulette (Allium schoenoprasum).

Melisa, toronjil o hierba limón. En infusión tiene suave efecto sedante.

Hinojo selvático o comino de prado. Pequeña variedad perenne. Con sus ramitas se aromatizan ensaladas y preparaciones cocidas.

Salvia ananá (Salvia elegans).

Cilantro. Se consumen sus hojas frescas. Más resistente al calor que el perejil.

Orégano. Después de la floración es conveniente realizar una poda severa.

Albahaca de follaje púrpura. Aromática y ornamental, ideal para aromatizar y colorear vinagres.

Glosario

Anual: planta que alcanza la madurez y completa su ciclo vital en una sola temporada de crecimiento.

Asociación de cultivos: técnica mediante la cual se cultivan juntas distintas especies para un beneficio mutuo, alejando plagas o ayudándose en el crecimiento. Sinónimo de "plantas acompañantes".

Biodegradable: cualquier material orgánico que puede descomponerse en sus partes constituyentes a través de la actividad de las bacterias u otros microorganismos de los tejidos, surge como reacción ante diversos factores.

Cobertura: capa de material orgánico empleado para cubrir el sustrato. En inglés, *mulch* (acolchado).

Compactación: es el daño producido a la estructura del suelo, que da como resultado su asfixia y ahogamiento; condiciones hostiles para el saludable desarrollo vegetal.

Contenedor: recipiente apto para el cultivo. Maceta. Jardinera. Tiesto.

Control biológico: es el empleo de una criatura u organismo para frenar el desarrollo de otro.

Densidad aparente: se calcula considerando el espacio total ocupado por el material sólido de un sustrato más el espacio poroso.

Densidad real: se refiere a la densidad del material sólido que compone un sustrato.

Fungicida: plaguicida empleado para el control de hongos. Destruye también micorrizas y hongos benéficos.

Harina de hueso: abono natural, fuente de fósforo de liberación lenta. También aporta nitrógeno y calcio.

Harina de sangre: abono natural. Es fuente de nitrógeno.

Insecticida natural: cualquier insecticida no sintético. Para ser aceptado por la agricultura orgánica debe descomponerse rápidamente en sustancias inactivas, de modo que alcance a la plaga sobre la cual se pulveriza, pero no persista en el medio ambiente perjudicando a los insectos benéficos que puedan recorrer posteriormente la zona tratada.

Intercambio iónico: es la capacidad de intercambiar iones o nutrientes que tienen algunos coloides del sustrato.

Orgánico: producto derivado de un proceso donde no se recurre al uso de fertilizantes de síntesis química, agrotóxicos ni organismos genéticamente modificados (OGM).

Organopónicas: en Cuba, huertas del Estado destinadas a la investigación.

Persistencia: es el tiempo que un plaguicida sigue siendo activo, ya sea en el suelo o como residuo sobre las plantas.

PET: plástico usado como envase de bebidas y en la industria textil. Tereftalato de polietileno, más conocido por sus siglas en inglés: *Polyethylene Terephtalate*.

Purín: líquido resultante de la maceración o fermentación de elementos ricos en materia orgánica, capaz de aportar nutrientes fácilmente asimilables por las plantas. En otros casos, estas sustancias pueden ser inductoras de la resistencia a plagas o enfermedades.

Raleo: técnica para evitar la alta densidad de plantines en un almácigo.

Reciclaje: es la práctica de reducir el material de desecho en sus componentes, para volver a emplearlos de manera diferente.

Repique: técnica que consiste en trasplantar un plantín a otro envase con mayor capacidad de sustrato.

Resistencia: es la inmunidad que desarrollan algunas plagas a plaguicidas concretos.

Sostenible: sustentable.

Sustentable: proceso o estado que puede mantenerse en su forma original de manera indefinida.

Bibliografía

Aubert, Claude: *El huerto biológico*. Barcelona: Integral, 1987.

Barbado, J. L. y Piazza A.: *Insumos permitidos en la producción orgánica, Fitosanitarios y abonos*. Tomo 1, Buenos Aires, Dunken, 2005.

Blanco, D. y V. M. de la Balze: *Los turbales de la Patagonia*. Publicación 19. Buenos Aires: Wetlands Internacional, 2004.

Briz, Julián: *Naturación urbana. Cubiertas ecológicas y mejora ambiental*. Madrid: Mundi Prensa, 2004.

Bueno, Mariano: *El huerto familiar biológico*. Barcelona: Integral, 2001.

Button, John: *Háztelo verde*. Barcelona: Integral, 1992.

Caplin, Adam: *Urban Eden*. Londres: Kylie Cathie Limited, 2000.

Chaboussou, Francis: *Plantas doentes pelo uso de agrotóxicos. A teoría da trofobiosis*. Puerto Alegre: L&PM, 1987.

Chaplowe, Scott G.: *"Havana's popular gardens sustainable urban agriculture"*, en World sustainable Agriculture Association Newsletter, Vol. 5, N° 22, Canadá, 1996.

Chowings, J. W.: *El huerto en el jardín*. Barcelona: The Royal Horticultural Society, Blume, 1992.

Clevely, Andi: *El jardín culinario*. Barcelona: Blume, 2001.

Denckla, Tanya: *The Gardener's A-Z guide to growing organic food*. Nueva York: Storey Publishing, 1994.

Dudley, Nigel y Susan Stickland: *Ecojardín*. Barcelona: Integral, 1992.

Eco-Agro (varios autores): *Agricultura orgánica, experiencias de cultivo ecológico en la Argentina*. Buenos Aires: Planeta, 1992.

Elmadfa, Ibrahim: *La gran guía de la composición de los alimentos*. Barcelona: Integral, 1989..

Escrivá, María Gabriela: *Huerta orgánica*. Buenos Aires: Albatros, 2005.

Escrivá, María Gabriela: *Huerta jardín orgánica*. Buenos Aires: Albatros, 2007.

Foguelman, Dina: *Plagas y enfermedades en manejo orgánico*. Buenos Aires: IFOAM-MAPO, 2003.

Gelinau, Claude: *Los germinados en la alimentación*. Barcelona: Integral, 1982.

Gertley, Jan & Michael: *The Art of the Kitchen Garden*. Newtown: Taunton Press, 1999.

Harper, Peter: *El libro del Jardín Natural*. Barcelona: Ediciones Oasis, 1994.

Kreuter, Marie Luise: *Jardín y huerto biológicos*. Madrid: Mundi Prensa, 1994.

Lemaire, Francis: *Cultivos en macetas y contenedores*. Madrid: Mundi Prensa, 2005.

Martin, Deborah: *Wacky garden helpers from your kitchen*. Emmaus, PA: Rodale Press, 2009.

Mc Clure, Susan: *Companion Planting. Rodale's successful organic gardening*. Emmaus, PA: Rodale Press, 1994.

Mc Kay, Kim: *"True green home"*, National Geographic. Washington DC, 2009.

Mollison, Bill: *Introducción a la Permacultura.* Nuevo México: Tagari Publications, 1994.

Noguera García, Vicente: *Plantas hortícolas.* Valencia: Florapint, 1996.

Pearson, David: *El libro de la casa natural.* Barcelona: Integral, 1991.

Pfeiffer, Ehrenfried: *El semblante de la tierra.* Barcelona: Integral, 1983.

Rapoport, Eduardo: *Malezas comestibles del Cono Sur.* Buenos Aires: INTA, 2009.

Rau, Heide: *Platz für noch mehr Blüten schaffen.* Augsburg: Natur Buch Verlag, 1997.

Rodale, J. I.: *"Abonos orgánicos"*, en El cultivo de huertas y jardines con compuestos orgánicos. Buenos Aires: Tres Emes, 1946.

Romero; Jordi: *"El rebost de la ciutat"*, en Manual de Permacultura Urbana. Barcelona. Fundación Terra, 2002.

Siefert, Alwin: *Agricultura sin venenos o el nuevo arte de hacer compost.* Barcelona: Integral, 1988.

Índice

Cultivando en latas, Nelson Mandela llegó a cuidar hasta 900 hortalizas en la prisión sudafricana dónde lo tenían recluido. Con esta producción logró mejorar su dieta, la de sus compañeros... e; inclusive la de sus guardianes blancos!

EDITORIAL
ALBATROS